CB057574

Para meu marido, para
meus filhos, para Val.
Obrigado, pessoal!
R. H. H.

Para meus pais
M. E.

UM RECADO PARA O LEITOR

À medida que escrevíamos e ilustrávamos este livro, verificamos e reconfirmamos a informação científica e as mais recentes pesquisas. Aprendemos com esses cientistas e profissionais da saúde que o conhecimento sobre esse assunto evolui e muda constantemente. Ao mesmo tempo que existe consenso, há também certas discordâncias, e algumas dúvidas permanecem. Neste momento, as informações deste livro são o mais atualizadas e precisas possível. Se você tiver dúvidas ou precisar de mais informações, recorra a seus pais, a um médico, enfermeira, profissional da saúde, professor ou coordenador escolar.

R. H. H. e M. E.
Outubro de 1995

Esta obra foi publicada originalmente em inglês com o título LET'S TALK ABOUT SEX, por Walker Books Ltd., Londres, em 1994.
Copyright © 1994 Robie H. Harris para o texto
Copyright © 1994 Michael Emberley para as ilustrações
Copyright © Livraria Martins Fontes Editora Ltda., São Paulo, 1997, para a presente edição.

1ª edição: *agosto de 1997*

Tradução: CARLOS S. MENDES ROSA

Revisão técnica: *Dr. Matheus José Benelli Santinho*

ISBN 85-336-0620-6

Impresso em Hong Kong

Todos os direitos para o Brasil reservados à
LIVRARIA MARTINS FONTES EDITORA LTDA.
Rua Conselheiro Ramalho, 330/340 01325-000
Telefone: 239-3677 São Paulo SP Brasil

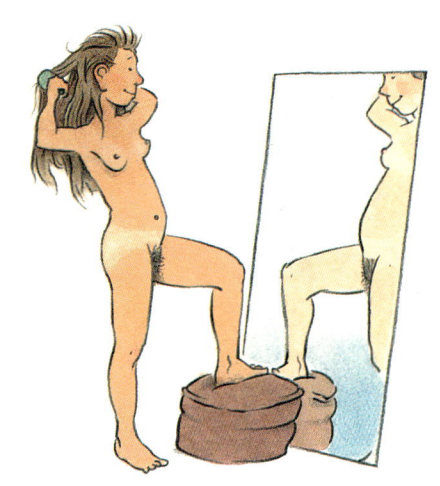

Amadurecimento, Mudanças no Corpo, Sexo e Saúde Sexual

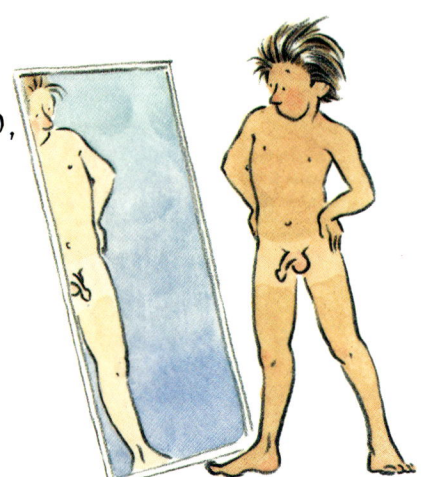

Vamos Falar Sobre Sexo

Escrito por
Robie H. Harris

Ilustrado por
Michael Emberley

Martins Fontes
São Paulo 1997

Sumário

Introdução
Muitas Perguntas

Mudanças no Corpo,
Amadurecimento, Sexo
e Saúde Sexual ... 9

Parte 1
O Que É Sexo?

1 Menina ou Menino, Feminino
ou Masculino ... 10
Sexo e Gênero

2 Fazendo Filhos ... 11
Reprodução Sexual

3 Fortes Sentimentos ... 12
Desejo Sexual

4 Fazer Amor ... 14
Relação Sexual

5 Certinho e Gay ... 16
Heterossexualismo e Homossexualismo

Parte 2
Nosso Corpo

6 O Corpo Humano ... 19
Todos os Tipos de Corpo

7 Dentro e Fora ... 22
Os Órgãos Sexuais Femininos

8 Dentro e Fora ... 25
Os Órgãos Sexuais Masculinos

9 Palavras ... 28
Como se Fala do Corpo e de Sexo

Parte 3
Puberdade

10 Mudanças e Mensagens ... 30
Puberdade e Hormônios

11 A Viagem do Óvulo ... 32
Puberdade Feminina

12 A Viagem do Espermatozóide ... 37
Puberdade Masculina

13 Não Tudo Junto! ... 41
Amadurecimento e
Mudanças do Corpo

14 Mais Mudanças   43
Os Cuidados com o Corpo

15 Vai e Volta, Sobe e Desce   45
Sentimentos Novos
e Mutantes

16 Perfeitamente Normal   48
Masturbação

Parte 4
Famílias e Bebês

17 Todo Tipo de Família   50
O Afeto por Bebês e Crianças

18 Instruções da
Mamãe e do Papai   52
A Célula: Genes e Cromossomos

19 Um Tipo de Troca   54
Carinhos, Beijos, Carícias e
Relação Sexual

20 Antes do Nascimento   58
Gravidez

21 Que Viagem!   62
Nascimento

22 Outras Chegadas   66
Outras Maneiras de Ter um
Bebê e uma Família

Parte 5
Decisões

23 Planejamento Futuro   68
Adiamento, Abstinência e
Contracepção

24 Leis e Decretos   73
Aborto

Parte 6
Mantendo a Saúde

25 Denuncie   75
Abuso Sexual

26 Exame Médico   77
Doenças Sexualmente Transmissíveis

27 Cientistas que Trabalham
Dia e Noite   79
HIV e AIDS

28 Mantendo a Saúde   83
Decisões Responsáveis

Conheça o Passarinho e a Abelha

— Ei! Você quer saber o que eu estou lendo?

— Não. Agora não. Estou no meio de um livro sobre astronomia.

— Sabe, eu também estou lendo um livro científico.

— Pois sim! Bem, novidade para você!

— Este livro será uma novidade para você. Dê uma olhada. Garanto que você vai gostar.

— Oh, meu Deus! Este livro é sobre...

— Sexo. Há algum problema para você?

— Claro que sim! Eu fico com as estrelas. Obrigado.

— Você é um covarde.

— Você ficou louco? Eu sou uma abelha. E abelhas são muito corajosas.

— Se isso é verdade, então dê uma olhada neste livro.

— Está bem, mas só uma olhadinha.

8 Vamos Falar Sobre Sexo

Introdução
Muitas Perguntas

Mudanças no Corpo, Amadurecimento, Sexo e Saúde Sexual

Em certo momento entre as idades de nove e quinze anos, o corpo das crianças começa a mudar e a se transformar em corpo de adulto.

Ó-ti-mo!

Gros-se-ria!

A maioria dos jovens tem curiosidade e um monte de perguntas sobre o que vai acontecer com eles quando seu corpo mudar e crescer naquele período.

Não eu.

Eu sim.

É perfeitamente normal as pessoas terem curiosidade e quererem saber mais sobre as mudanças e o amadurecimento do corpo. Boa parte das mudanças — mas não todas — que ocorrem durante esse período possibilita aos seres humanos gerar e fazer nascer um bebê. E fazer um filho tem muito a ver com sexo.

Bem, eu já sabia que esse negócio não tinha a ver com cegonhas.

É sobre a vida de verdade.

Sexo tem a ver com muitas coisas — corpo, amadurecimento, família, bebês, amor, carinho, curiosidade, sentimentos, respeito, responsabilidade, biologia e saúde. Há vezes em que as doenças e o perigo também têm relação com sexo.

A maioria dos jovens tem curiosidade e um monte de perguntas sobre sexo. É também perfeitamente normal querer saber sobre sexo.

Ufa! Eu me senti esquisito.

Eu me senti perfeitamente normal.

Talvez você esteja se perguntando por que é bom aprender algumas verdades sobre o corpo, sobre amadurecimento, sobre sexo e sobre saúde sexual. É importante porque esses fatos podem ajudá-lo a ser saudável, a se cuidar bem e a tomar decisões acertadas sobre si mesmo enquanto você amadurece e pelo resto da vida.

Aprender essas coisas pode ser fascinante e divertido.

Não me parece muito divertido.

Talvez você seja esquisito.

Parte 1
O Que É Sexo?

1
Menina ou Menino, Feminino ou Masculino
Sexo e Gênero

O que é sexo? O que é isso... exatamente? Tem a ver com quê?

Muitos jovens se fazem esse tipo de pergunta. Não é preciso se sentir envergonhado ou burro se você não sabe as respostas, porque sexo não é um assunto simples.

Sexo é muitas coisas, e as pessoas têm impressões e opiniões muito diferentes a esse respeito. É por isso que há mais de uma resposta à pergunta: O que é sexo?

Sexo não é só aquela coisa antiga de abraçar e beijar. E não tem a ver só com amor. É tudo que eu sei.

Bem, e também não é só fazer filhos.

Uma maneira de saber mais sobre sexo é perguntar a alguém que você conheça e em quem confie. Lembre-se, não existem perguntas bobas. Outra maneira de saber mais sobre sexo é ler a respeito. Você pode, por exemplo, procurar o significado da palavra *sexo* no dicionário.

Aqui está o que um dicionário diz no verbete *sexo*:

1. *Qualquer um dos dois grupos principais, fêmea e macho, nos quais os seres vivos são classificados.*

As pessoas sempre querem saber o sexo do bebê. Portanto, ninguém se surpreende quando um bebê nasce e alguém aparece gritando:
"É menina!" ou "É menino!"
E normalmente uma das primeiras perguntas que as crianças fazem ao saber que um novo colega vai entrar na escola é: "É menina ou menino?"

Sexo está no dicionário!

Acho que eu vou para a biblioteca.

10 Vamos Falar Sobre Sexo

Quando as pessoas usam a palavra *sexo* nesse sentido, elas geralmente estão falando do *gênero* de alguém — se o indivíduo é do sexo feminino ou masculino, menina ou menino, mulher ou homem.

Sexo não é só isso.

Claro que não.

Gênero é outra palavra que indica a que grupo a pessoa pertence. Se ela é um menino ou um homem, seu gênero é masculino. Se a pessoa é uma menina ou uma mulher, seu gênero é feminino.

2
Fazendo Filhos
Reprodução Sexual

O dicionário diz mais sobre sexo.

2. *Reprodução sexual.*

Sexo também tem a ver com reprodução — fazer filhos. *Reproduzir* significa *produzir* ou *fazer de novo*.

Me perdi.

Você está sem pistas!

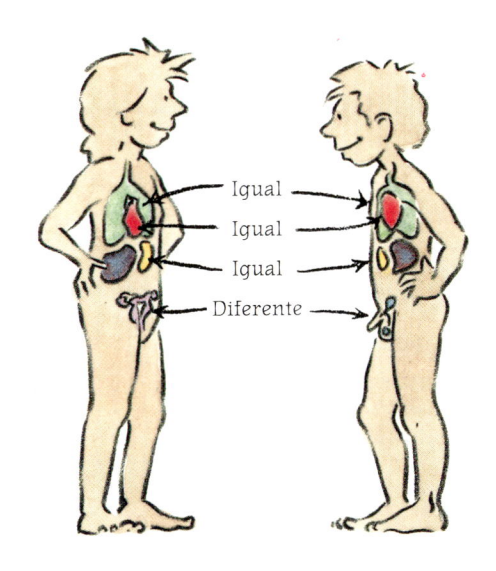

Certas partes do nosso corpo fazem com que o homem e a mulher, quando seu corpo já cresceu, possam se reproduzir — fazer filhos. As partes do nosso corpo que fazem isso ser possível são chamadas de órgãos reprodutores.

Os órgãos são partes do nosso corpo que têm tarefas especiais para fazer. Por exemplo, o coração é o órgão cuja tarefa especial é bombear o sangue. Os cientistas sabem que a maioria dos órgãos dentro do nosso corpo, como o coração, os pulmões e o estômago, são iguais tanto na mulher como no homem. Mas os órgãos reprodutores não são iguais na mulher e no homem.

As pessoas também se referem aos órgãos reprodutores como órgãos sexuais. Os órgãos sexuais femininos e masculinos destinam-se a funcionar de um modo surpreendentemente interessante. São diferentes entre si porque têm tarefas diferentes para desempenhar.

Tanto os homens quanto as mulheres possuem órgãos sexuais externos e órgãos sexuais internos. Alguns ficam entre as nossas pernas e do lado de fora do corpo. Outros se acomodam dentro do nosso corpo. Os órgãos sexuais do lado de fora do corpo de uma pessoa são geralmente chamados de genitais, e os órgãos sexuais do lado de dentro do corpo de uma pessoa são chamados de órgãos reprodutores.

Se você é mulher, sua vagina e seus ovários são dois dos seus órgãos sexuais. Se você é homem, seu pênis e seus testículos são dois dos seus órgãos sexuais.

Portanto, o sexo também tem a ver com fazer um novo ser humano — fazer um filho.

O dicionário diz alguma outra coisa sobre sexo?

Acho que já ouvimos o suficiente.

3
Fortes Sentimentos
Desejo Sexual

O dicionário nos diz ainda mais sobre sexo.

3. *Desejo sexual.*

Sexo também tem relação com o desejo de estar fisicamente próximo de alguém, o mais próximo possível.

Alguma vez você quis uma coisa ou ansiou por ela? Isso é desejo, da mesma forma que quando você realmente quer que alguém seja seu melhor amigo ou realmente quer um sorvete de chocolate.

Eu prefiro sorvete de morango.

Eu sou é louco por chocolate.

Você não sabe por que quer essas coisas. Você nem pensa nisso quando as quer. Simplesmente quer. É apenas a sensação de querer — de desejo.

O desejo sexual é diferente desses desejos — diferente de querer um sorvete de chocolate, ou querer que alguém seja o seu melhor amigo, ou mesmo querer encostar-se na mamãe e no papai, em um amigo, em um animal de estimação ou em um bicho de pelúcia.

O desejo sexual significa sentir-se atraído por alguém de um jeito muito forte, como se fosse puxado por um ímã. Você quer estar fisicamente o mais próximo possível daquela pessoa.

Embora você possa pensar bastante naquela pessoa, o desejo sexual é principalmente o modo como o seu corpo reage em relação a ela. Seu corpo pode ficar excitado ou acalorado ou tremendo ou formigando. E às vezes essas sensações podem ser fortes demais.

Para muitos jovens, uma parte do desejo sexual pode ser a diversão de seguir, provocar alguém ou ser vidrado em alguém. Geralmente é bastante difícil parar de pensar nessa pessoa, e você pode até achar que a ama. A isso se chama "gamação" por alguém.

Tanto garotas quanto garotos têm gamações. Têm gamação por pessoas que conhecem e também por pessoas que não conhecem — como artistas de televisão e de cinema, cantores populares ou celebridades do esporte.

> Eu não tenho gamação alguma... por ninguém!

> Mentira. Você tem gamação por zilhões de artistas pop. Tem pôsteres dos *Abelhas* e dos *Baratas Arrepiantes* e dos *Tarântulas Cabeludas* por toda a sua colméia.

Eles têm gamação por pessoas do mesmo sexo, assim como por pessoas do sexo oposto, por pessoas da mesma idade, mais velhas ou mais novas. Ter uma gamação por alguém é perfeitamente normal.

Alguns de vocês talvez estejam percebendo as mudanças em seu corpo e as diferenças entre ele e o corpo de seus amigos.

Os sentimentos e as idéias que você talvez tenha sobre outras pessoas e o corpo delas podem fazê-lo sentir-se bastante empolgado. Alguns chamam a isso de "sentir-se excitado".

Sexo pode ainda ter a ver com as várias idéias e sensações que você tenha sobre o que está acontecendo com você e com seu corpo enquanto cresce.

O Que É Sexo? 13

4
Fazer Amor
Relação Sexual

O dicionário diz mais uma coisa sobre sexo.

4. *Relação sexual*.

A palavra *sexo* também significa relação sexual. Algumas pessoas

> Agora estamos chegando LÁ!
>
> Chegando AONDE?
>
> Ah, não ligue. Eu fico pensando se você conseguiria descobrir mais sobre *sexo* na enciclopédia...

chamam a relação sexual de "fazer sexo".

A relação sexual acontece quando uma mulher e um homem se sentem excitados e bastante atraídos um pelo outro. Eles querem ficar bem juntinho de um jeito sexual, tão juntinho que o pênis do homem entre na vagina da mulher e a vagina se alargue para se acomodar ao redor do pênis.

Quando isso acontece, o homem e a mulher — desde que seus órgãos reprodutores já tenham amadurecido — podem fazer um filho.

> Eu achava que ISSO fosse assim mesmo.
>
> Eu prefiro nem pensar NISSO.

Porém, a maioria das pessoas não tem relação sexual só quando quer fazer um filho. Geralmente elas têm relação sexual porque é gostoso.

As pessoas têm relações sexuais até bem velhas.

Também se chama a relação sexual de "fazer amor", porque é uma maneira de expressar amor. Mas a relação sexual é apenas uma maneira de expressar amor.

Abraçar-se, aconchegar-se, ficar de mãos dadas, beijar-se e acariciar-se são outros jeitos de expressar o amor. Da mesma forma que estar com alguém de quem se gosta bastante e dizer a essa pessoa: "Eu amo você."

Há umas coisas sobre sexo e relação sexual que é importante saber e lembrar:

- É bom esperar para ter relações sexuais até que você tenha uma boa idade e bastante responsabilidade para tomar decisões acertadas sobre sexo.
- Toda pessoa tem sempre o direito de dizer não a qualquer tipo de carícia sexual.
- Um relacionamento que envolva o contato sexual geralmente traz sentimentos bastante complicados.
- Depois da relação sexual, a mulher pode ficar grávida. Mas há recursos que ajudam as pessoas a evitar ter um filho.
- Durante a relação sexual, infecções graves, como por HIV — o vírus que provoca a AIDS —, e também outras infecções menos graves podem ser transmitidas de uma pessoa para a outra. No entanto, existem meios que ajudam a se proteger contra pegar ou transmitir essas infecções.

É muita coisa para lembrar!

Já é o suficiente para lembrar.

Então, sexo é um monte de coisas — até sentimentos e pensamentos.

Sexo é o desejo de estar bem perto de alguém.

Sexo é relação sexual.

Sexo é fazer filhos.

E sexo existe, seja você mulher ou homem.

Às vezes as pessoas usam a palavra *sexualidade* para se referir a sexo. Quando usam a palavra *sexualidade*, elas geralmente estão falando de tudo na nossa vida diária que nos torna seres sexuais — nosso sexo, nossos sentimentos, pensamentos e desejos sexuais, assim como qualquer contato sexual, da carícia sexual à relação sexual.

Por mim, eu preferiria aprender mais coisas de astronomia...

Preferiria.

O Que É Sexo? 15

5
Certinho e Gay
Heterossexualismo e Homossexualismo

*C*ertinho e *gay* são duas palavras relacionadas com desejo sexual e sexo.

Uma pessoa certinha ou heterossexual é aquela que se sente sexualmente atraída por pessoas do outro sexo ou do sexo oposto. *Heteros* significa *outro* em grego antigo.

Eu gosto dessas palavras gregas.

Eu gosto de imagens. Acho que uma imagem vale por mil palavras.

Na relação heterossexual, duas pessoas de sexos opostos — um homem e uma mulher — podem se sentir atraídas, apaixonar-se ou manter relação sexual.

Uma pessoa *gay* ou homossexual é aquela que se sente atraída por pessoas do mesmo sexo. *Homos* significa *igual* em grego antigo. Na relação homossexual, duas pessoas do mesmo sexo — um homem e outro homem, uma mulher e outra mulher — podem se sentir atraídas, apaixonar-se ou manter relação sexual.

A relação homossexual entre duas mulheres pode também ser chamada de relação lésbica. A palavra *lésbica* começou a ser usada no final do século XIX. Refere-se à Antiguidade, cerca de 600 a.C., quando a grande poetisa Safo vivia na ilha grega de Lesbos. Safo escreveu sobre a amizade e o amor entre mulheres.

16 Vamos Falar Sobre Sexo

Os gregos antigos achavam que o amor entre dois homens era a forma mais elevada de amor. Na antiga cidade-estado grega de Esparta, por volta de 1000 a.C., torcia-se para que dois amantes do sexo masculino servissem no mesmo regimento do exército. As pessoas achavam que, se um guerreiro estivesse no mesmo regimento de seu amante, ele lutaria com muito mais garra para impressioná-lo. O exército espartano foi um dos mais poderosos e temidos da Grécia antiga.

Adoro história. Adoro ciência, também.

Não fique se mostrando.

Tem havido relacionamentos *gay* por toda a história, mesmo antes da Grécia antiga.

O modo como os pessoas sentem e encaram a homossexualidade tem muito a ver com a cultura e a época em que vivem.

Os cientistas ou não sabem ou não concordam inteiramente sobre os motivos que fazem uma pessoa crescer e se tornar homossexual e outra pessoa crescer e se tornar heterossexual. Na verdade, deve haver mais do que só uma razão.

Alguns cientistas acreditam que ser homossexual ou heterossexual não é uma coisa que se escolha, da mesma forma que você não pode escolher a cor de sua pele ao nascer e se você vai ser homem ou mulher. Eles acham que uma pessoa nasce com as características ou com os traços biológicos que a fazem se tornar certinha ou *gay*. Outros cientistas acreditam que acontecimentos durante a infância ajudam a determinar se a pessoa será *gay* ou certinha ao crescer.

Às vezes, à medida que vão crescendo, os garotos ficam curiosos por outros garotos e as garotas ficam curiosas por outras garotas. Eles podem olhar ou até tocar o corpo do outro. Esse é um modo normal de descoberta e não tem nada a ver com o fato de uma garota ou um garoto ser heterossexual ou homossexual.

Ufa! Estou feliz por ser normal ter curiosidade pelo corpo dos outros.

Eu pessoalmente tenho curiosidade pelos corpos celestes.

Sonhar com uma pessoa do mesmo sexo ou ser vidrado nela não significa necessariamente que uma garota ou um garoto seja homossexual.

Algumas pessoas desaprovam os *gays* e as lésbicas. Outras até detestam homossexuais só porque são homossexuais. Talvez sintam isso porque acham que os homossexuais são diferentes delas ou porque acham os

O Que É Sexo? 17

relacionamentos *gay* errados. Geralmente essas pessoas sabem pouca coisa ou não sabem nada sobre homossexuais, e suas opiniões são quase sempre baseadas em receios ou preconceitos, não em fatos. Freqüentemente as pessoas têm medo das coisas que conhecem pouco ou das quais não sabem nada.

Certas pessoas se sentem sexualmente atraídas por pessoas do sexo oposto e por pessoas do mesmo sexo. As pessoas que são atraídas ou podem se apaixonar tanto por homens como por mulheres e ainda ter relação sexual com ambos os sexos são chamadas de bissexuais. *Bi* significa *dois*.

A vida diária das pessoas — arrumar a casa, ter amigos e diversão, criar crianças, trabalhar, estar apaixonado — é na maior parte exatamente igual, sejam elas heterossexuais, homossexuais ou bissexuais. Se uma pessoa tem qualquer dúvida ou preocupação sobre seus gostos sexuais, pode ajudar bastante conversar com alguém que ela conheça e em quem confie — o pai, a mãe, um parente, um grande amigo, um professor, um médico, uma enfermeira ou um religioso.

Parte 2
Nosso Corpo

6
O Corpo Humano
Todos os Tipos de Corpo

Quantos desenhos, pinturas e esculturas do corpo humano! Os artistas devem adorar desenhá-lo.

Os artistas adoram desenhar o corpo das abelhas.

Ainda não vi uma pintura de um inseto.

Calma. Ainda não vimos tudo.

Nosso Corpo 19

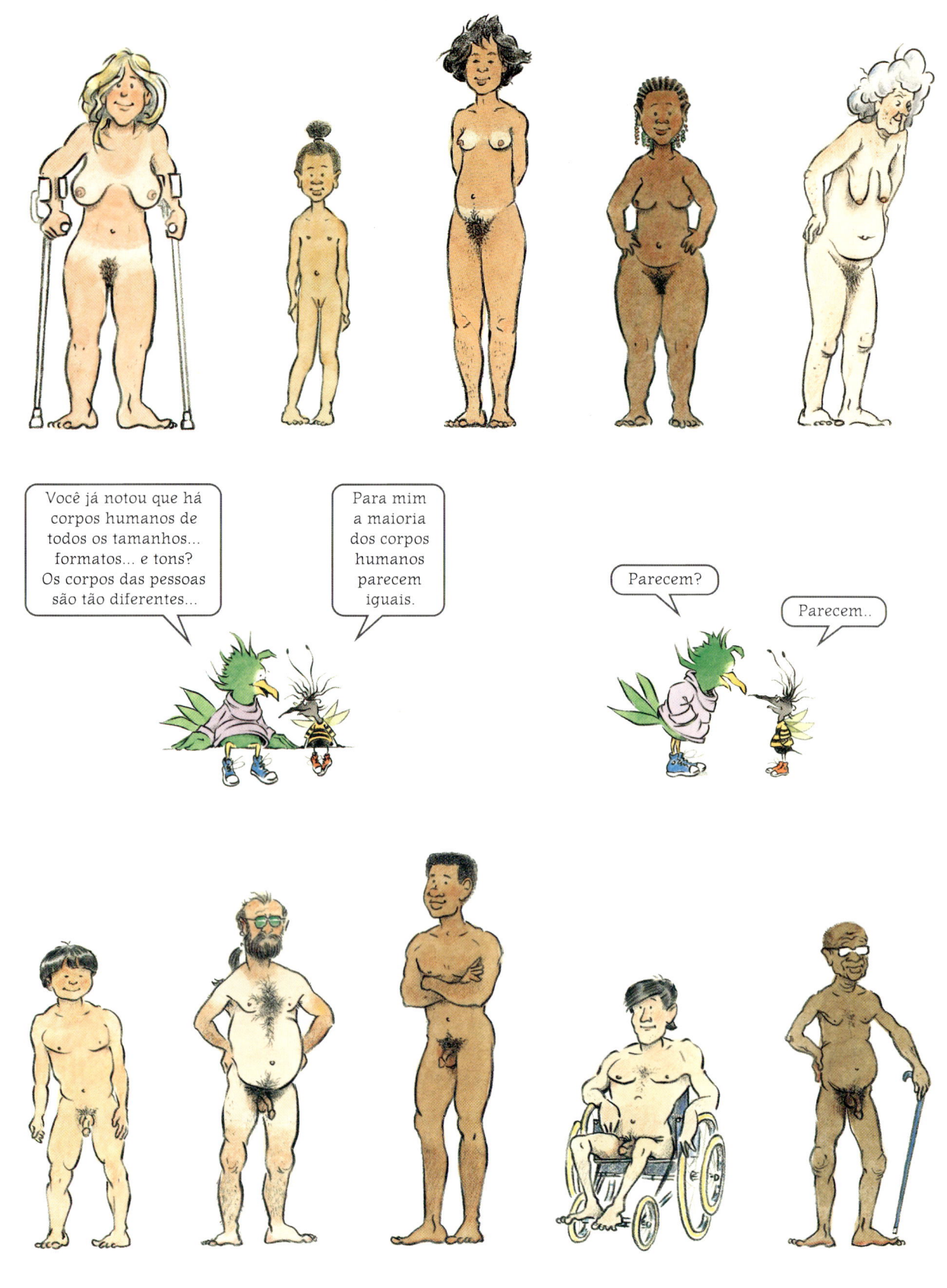

Você já notou que há corpos humanos de todos os tamanhos... formatos... e tons? Os corpos das pessoas são tão diferentes...

Para mim a maioria dos corpos humanos parecem iguais.

Parecem?

Parecem..

20 Vamos Falar Sobre Sexo

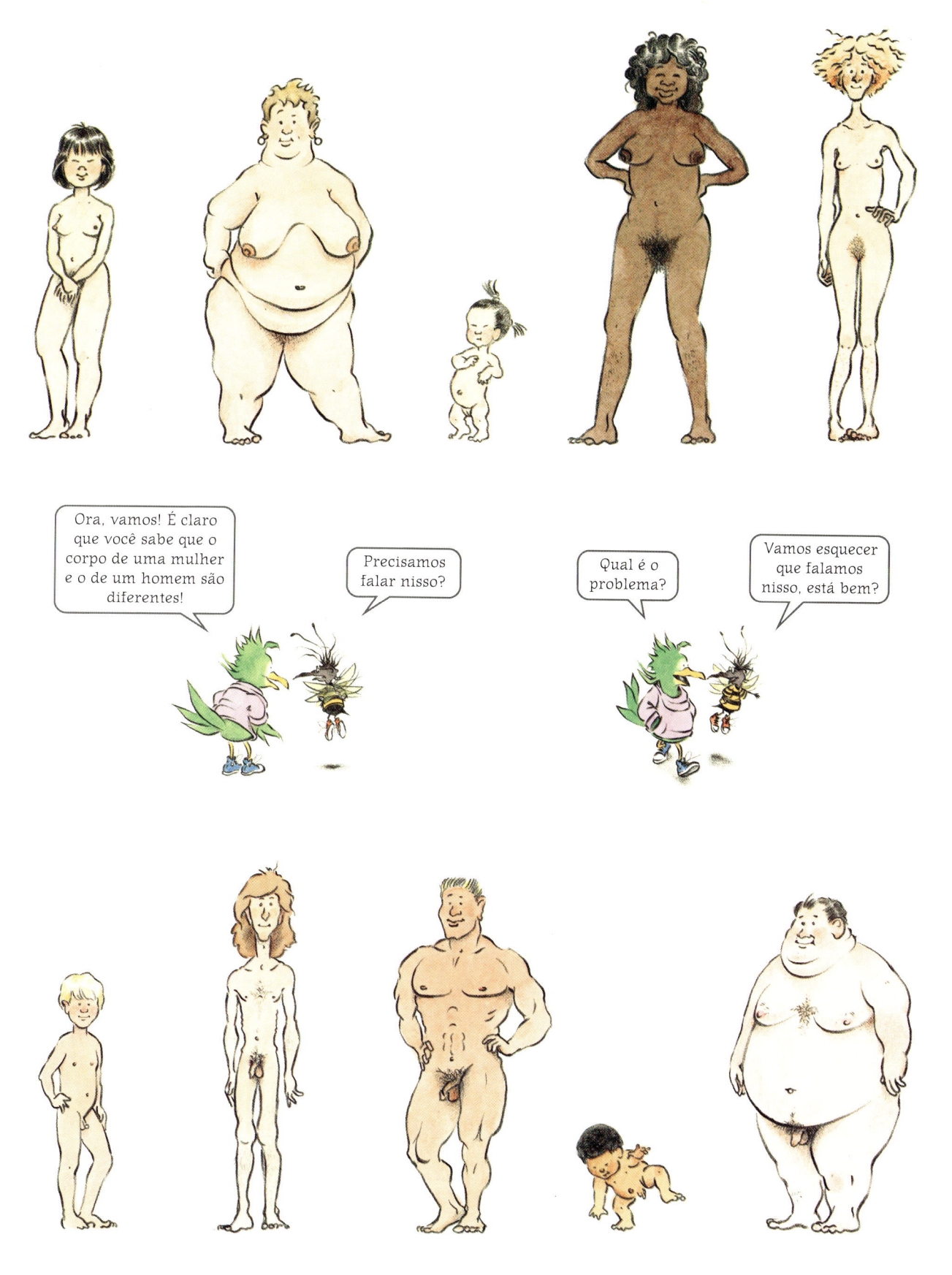

> Ora, vamos! É claro que você sabe que o corpo de uma mulher e o de um homem são diferentes!

> Precisamos falar nisso?

> Qual é o problema?

> Vamos esquecer que falamos nisso, está bem?

Nosso Corpo 21

7
Dentro e Fora
Os Órgãos Sexuais Femininos

Os órgãos sexuais externos de uma mulher — o clitóris e o orifício da vagina — são difíceis de ver porque ficam entre as pernas dela.

A Vulva
Toda a região de pele mole entre as pernas de uma mulher chama-se vulva. A palavra *vulva* vem da palavra latina *volva*, que significa *cobertura*. A vulva compõe-se do clitóris, do orifício da vagina, do orifício da uretra e dos lábios.

Os Lábios
Os lábios são dois pares de pregas moles de pele dentro da vulva. Eles recobrem as partes internas da vulva — o clitóris, o orifício da uretra e o orifício da vagina.

O Clitóris
O clitóris é um montinho de pele quase do tamanho de uma ervilha. Quando o clitóris é acariciado e massageado, o corpo da mulher

sente uma sensação boa tanto por fora quanto por dentro. Ele sente como que um formigamento, uma espécie de calor e bem-estar. Ele se sente excitado.

O Orifício da Uretra

O orifício da uretra é muito pequeno. A uretra não é um dos órgãos sexuais femininos. É um canal pelo qual a urina sai do corpo.

VERDADES DO CORPO: A urina é o resto líquido do corpo, o líquido que restou da comida e da bebida que o corpo não utilizou. A urina é o único líquido que flui pela uretra da mulher.

O Orifício da Vagina

A vagina é um canal entre o útero — um órgão sexual dentro do corpo da mulher — e a parte de fora do corpo. O orifício da vagina é maior que o orifício da uretra.

VERDADES DO CORPO: Um fino pedaço de pele chamado hímen recobre parte do orifício da vagina. À medida que a garota cresce, ou quando tem atividade intensa ou na primeira relação sexual, o hímen se estica e pode romper um pouco, e o orifício da vagina torna-se bem mais largo.

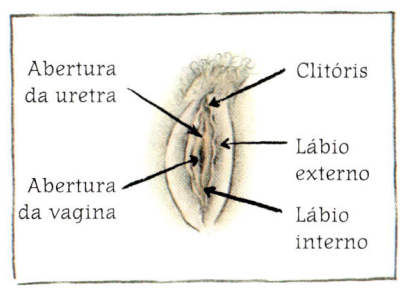

Vulva

O Ânus

O ânus é um pequeno orifício pelo qual as fezes — os restos sólidos — saem do corpo da mulher.

VERDADES DO CORPO: As fezes são a matéria sólida que sobra da comida não utilizada pelo corpo. Elas saem do corpo da mulher da mesma maneira que saem do corpo do homem. Os restos sólidos são armazenados nos intestinos antes de sair do corpo através do ânus.

Ao todo, da frente para trás, há três orifícios entre as pernas de uma mulher: o orifício da uretra, o orifício da vagina e o ânus. Se uma garota ou uma mulher tiverem curiosidade em saber como são esses orifícios, elas podem colocar um espelho entre as pernas e dar uma olhada.

Nosso Corpo 23

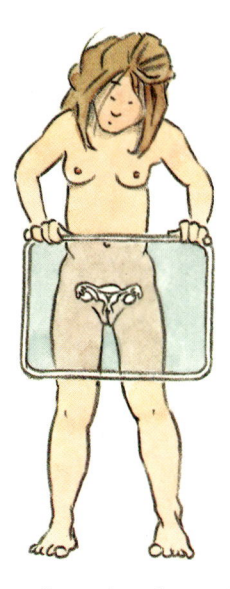

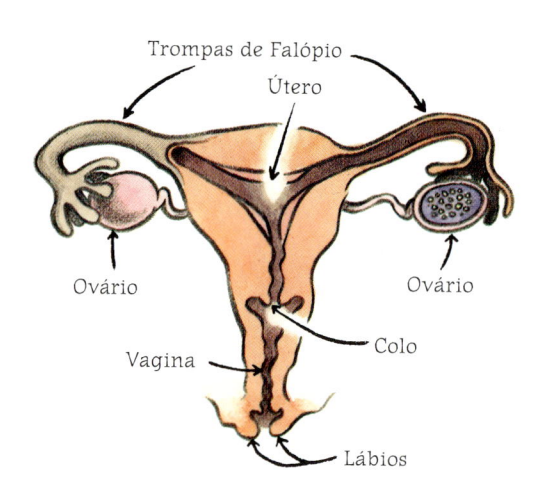

Se você pudesse olhar dentro do corpo da mulher e ver seus órgãos sexuais internos, você veria dois ovários, duas trompas de Falópio, o útero e a vagina.

Os Ovários

Os dois ovários, um de cada lado do útero, são mais ou menos do tamanho de um morango grande. Os ovários contêm as células sexuais femininas, também chamadas de células germinais femininas ou óvulos.

VERDADES DO CORPO: No nascimento, os ovários de uma menina já contêm uma quantidade assombrosa de óvulos — de um a dois milhões. Mas esses óvulos não estão suficientemente amadurecidos para gerar bebês até que a menina comece a entrar na puberdade. A puberdade feminina é o período em que o corpo de menina passa a se transformar em corpo de jovem, e pode começar a qualquer instante entre a idade de nove anos até treze ou catorze. Na puberdade, uma garota tem de 300 mil a 400 mil óvulos. Os óvulos femininos não conseguem mais gerar bebês depois que a mulher atinge cerca de cinqüenta anos.

As Trompas de Falópio

As duas trompas de Falópio são canais que o óvulo percorre a caminho do útero. Uma de suas extremidades quase se encosta em um ovário, a outra une-se ao útero. Cada trompa tem cerca de 7,5 cm de comprimento. O diâmetro externo pode ser igual ao de um canudinho de bebida.

O Útero

O útero é constituído por músculos fortes e é oco por dentro. Tem quase o mesmo tamanho e formato de uma pêra de cabeça para baixo e se liga tanto às trompas de Falópio quanto à extremidade interna da vagina.

VERDADES DO CORPO: O útero é o lugar em que o bebê, chamado feto, cresce, é alimentado e protegido. O feto se desenvolve dentro do útero, que se estica à medida que o feto fica maior, por cerca de nove meses, até estar pronto para nascer. O útero é às vezes chamado de matriz.

O Colo

O colo uterino é um pequeno orifício localizado na parte inferior do útero. Ele liga o útero à parte superior da vagina. Esse orifício se alarga bastante quando chega o momento de o bebê nascer.

A Vagina

A vagina é o canal entre o útero e a parte externa do corpo feminino.

VERDADES DO CORPO: O bebê desloca-se através da vagina quando está pronto para nascer. A vagina é também o canal pelo qual saem do útero uma vez por mês uma pequena quantidade de sangue, outros líquidos e tecidos. Esse sangramento, pequeno e normal, é chamado de menstruação ou "regras" e começa quando uma menina chega à puberdade. A vagina é ainda o local onde o pênis se encaixa durante a relação sexual.

24 Vamos Falar Sobre Sexo

8
Dentro e Fora
Os Órgãos Sexuais Masculinos

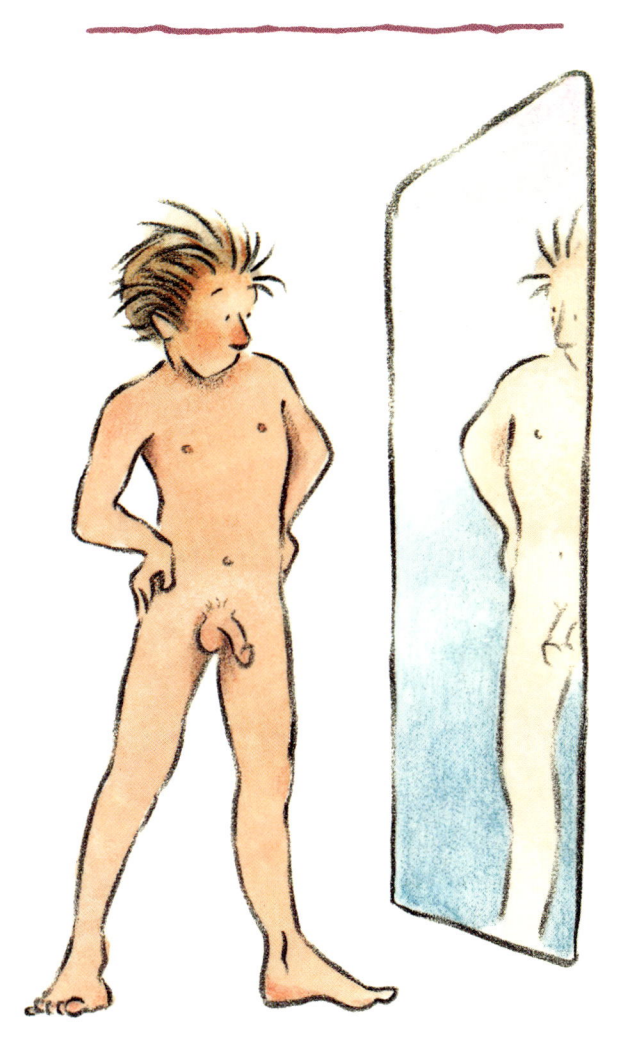

Os órgãos sexuais externos do homem — o pênis e o escroto, que contém dois testículos — são fáceis de ver quando um menino ou um homem estão nus, porque estão pendurados entre suas pernas.

O Escroto
O escroto é um saco mole de pele enrugada que recobre, contém e protege os dois testículos em formato de ameixa.

O Pênis
O pênis é constituído de tecido esponjoso e mole e vasos sangüíneos. A urina — restos líquidos — sai do corpo do homem por um pequeno orifício na ponta do pênis. A extremidade do pênis é chamada de glande. Quando o pênis é acariciado e massageado, o corpo do homem sente uma sensação boa tanto por fora quanto por dentro — como que um formigamento, uma espécie de calor e bem-estar. Ele se sente excitado.

Nosso Corpo 25

VERDADES DO CORPO: Em geral o pênis é mole e repousa sobre o escroto. Às vezes ele fica ereto e duro, mais grosso e mais longo, e se projeta para fora do corpo. Isso se chama ereção.

VERDADES DO CORPO: Todos os homens nascem com uma pele solta que cobre a extremidade do pênis e se chama prepúcio. O prepúcio de alguns bebês é cortado poucos dias depois do nascimento por um médico ou por um religioso com formação especial. Isso se chama circuncisão. Embora um pênis circuncidado tenha aparência diferente de um pênis não-circuncidado, ambos funcionam com a mesma eficiência.

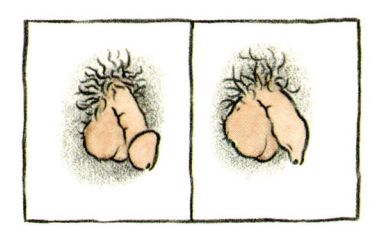

Pênis circuncidado   Pênis não-circuncidado

O Ânus

O ânus é um pequeno orifício pelo qual as fezes — restos sólidos — saem do corpo do homem.

VERDADES DO CORPO: As fezes são a matéria sólida que sobra da comida não utilizada pelo corpo. Elas saem do corpo do homem da mesma maneira que saem do corpo da mulher. Os restos sólidos são armazenados nos intestinos antes de sair do corpo através do ânus.

Da frente para trás, há dois orifícios entre as pernas do homem: o pequeno orifício na ponta do pênis e o ânus.

Se você pudesse olhar dentro do corpo do homem e ver seus órgãos sexuais internos, você veria dois testículos e uma série de canais e glândulas ligados uns aos outros.

Os Testículos

Os dois testículos são macios e carnudos e são recobertos e protegidos pelo escroto. Comumente, um testículo pende mais abaixo que o outro. Antes da puberdade, cada testículo tem quase o tamanho de uma bola de gude. Durante a puberdade, cada testículo cresce até quase o tamanho de uma noz ou uma bola bem pequena. É por isso que muitas vezes são chamados de "bolas".

Testículos

VERDADES DO CORPO: As células sexuais do homem são produzidas nos testículos. As células sexuais femininas existem desde o nascimento. As masculinas são produzidas só quando o garoto começa a entrar na puberdade. A puberdade masculina é o período em que o corpo de garoto passa a se transformar em corpo de jovem, e começa entre os dez e os quinze anos. Em certo momento, o garoto inicia a produção de células sexuais masculinas, os espermatozóides, e os homens as produzem até bem velhos.

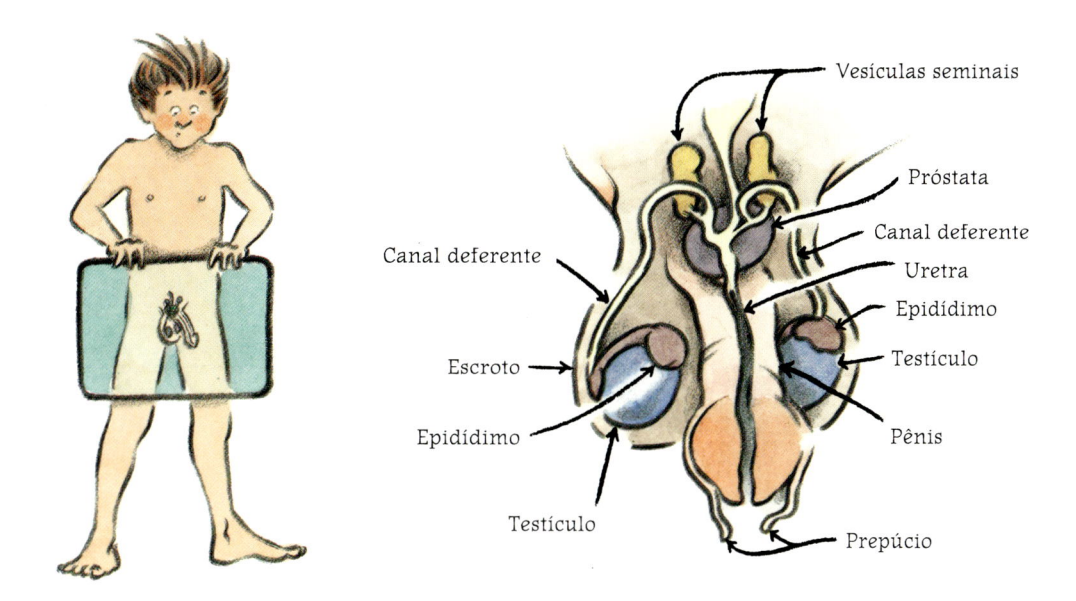

O Epidídimo

Cada testículo está ligado a uma estrutura tubular chamada epidídimo. Os espermatozóides percorrem o epidídimo e se desenvolvem nele a caminho do canal deferente. Cada epidídimo tem o formato de um fone de telefone, mas é muito menor.

VERDADES DO CORPO: Cada epidídimo é um tubo fino formado por espirais bem apertadas que, se fosse esticado, mediria cerca de seis metros.

O Canal Deferente

Cada um dos dois canais deferentes tem cerca de meio metro de comprimento. Esses tubos longos, estreitos, flexíveis e quase retilíneos começam nos epidídimos e serpenteiam até a uretra. Os dois canais deferentes são tão flexíveis quanto os fios de macarrão cozido.

Canais deferentes

VERDADES DO CORPO: Os espermatozóides deslocam-se de cada testículo através do epidídimo e do canal deferente.

As Vesículas Seminais e a Próstata

As duas vesículas seminais e a glândula próstata produzem um líquido que se junta aos espermatozóides para formar o esperma ou sêmen. *Sêmen* é palavra do latim para *semente*. Os espermatozóides deslocam-se pelo líquido através da uretra.

A Uretra

A uretra é um tubo longo e estreito que conduz a urina vinda da bexiga, onde é armazenada, e cruza pelo pênis até a abertura em sua ponta. A uretra é o canal da urina e do sêmen.

VERDADES DO CORPO: A urina é o resto líquido do corpo — líquido que restou da comida e da bebida que o corpo não utilizou.

VERDADES DO CORPO: O sêmen, que leva os espermatozóides do homem, sai do corpo em rápidos jatos pela ponta do pênis. Esses jatos se chamam ejaculação, que ocorre só depois de a puberdade ter começado. Tanto o sêmen quanto a urina saem pelo mesmo orifício na ponta do pênis. Quando um homem ejacula, os músculos se retesam para manter a urina na bexiga, de modo que ela não sai pelo pênis ao mesmo tempo que o sêmen.

Nosso Corpo

9
Palavras
Como se Fala do Corpo e de Sexo

Crianças, adolescentes e adultos usam vários tipos de palavras para as partes do corpo e para sexo. Algumas são termos científicos. Outras não — palavras comuns e cotidianas que as pessoas usam para falar do corpo e de sexo. Algumas são simpáticas, outras são engraçadas e outras grosseiras.

> Há um monte de palavras sobre sexo e o corpo que soam bobas, como "tetas" e "bolas".

> Gosto muito mais de termos científicos.

Os termos do dia-a-dia são em geral chamados de gírias. Os termos grosseiros e desrespeitosos sobre sexo e partes do corpo chamam-se geralmente "palavrões". As piadas sobre o corpo e sobre sexo são às vezes chamadas de "piadas sujas".

Algumas pessoas acham gozado usar gírias ou palavrões e fazer piada sobre o corpo e sobre sexo. Outras se sentem constrangidas e incomodadas quando ouvem essas palavras. É importante respeitar a opinião de outras pessoas sobre gírias, palavrões e piadas sujas, sejam quais forem essas opiniões.

Talvez as pessoas se sintam incomodadas ao falar de sexo e do corpo porque nós não vemos as partes genitais com tanta freqüência quanto braços, pernas, dedos, orelhas, olhos e narizes. Afinal, as partes genitais do nosso corpo estão quase sempre cobertas por roupas.

Algumas pessoas acham errado pensar e falar ou contar piadas sobre o corpo e sobre sexo. Mas muitas pessoas acham que é confortante e útil falar sobre isso com alguém que se conheça e em quem se confie, como um amigo, um dos pais, um irmão ou irmã mais velhos ou um primo.

> Você já reparou que alguns adultos — não só garotas e garotos — passam maus momentos ao falar de sexo?

> É! Eles se mexem na cadeira e dizem "Bem, hä..." umas cem vezes ou riem de nervoso.

28 Vamos Falar Sobre Sexo

"Você já ouviu a piada do...?"

"Não, obrigado. Eu nem entendo mesmo as suas piadas."

A Piada

Toda vez que você não "pegar" a piada, você sempre pode pedir a alguém que a explique para você.

Nosso Corpo 29

Parte 3
Puberdade

10
Mudanças e Mensagens
Puberdade e Hormônios

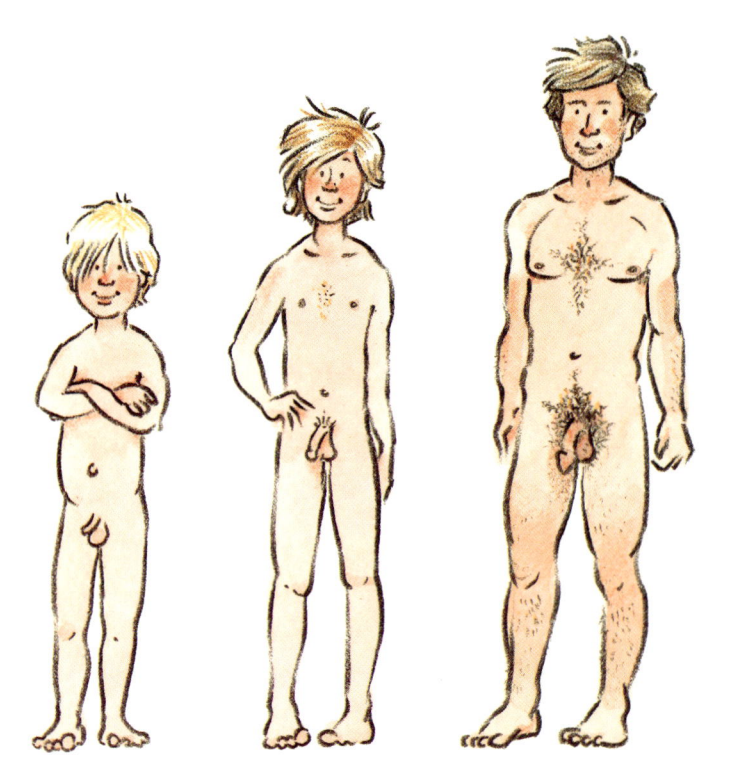

Nosso corpo muda a partir do instante em que nascemos e continua mudando por toda a vida. Ele muda porque tudo que é vivo se desenvolve e se transforma.

Porém, na fase entre nove e quinze anos, aproximadamente, ocorrem mais coisas com as meninas e os meninos, além de espichar e alargar, do que lhes aconteceu desde o nascimento. As meninas começam a se transformar em mulheres jovens, e os meninos, em homens jovens.

Puberdade é um dos nomes dados a esse intervalo de tempo. A palavra *puberdade* vem da palavra latina *pubertas*, que significa *crescido* ou *adulto*. Quando as pessoas usam a palavra *puberdade*, elas geralmente estão falando das mudanças físicas que ocorrem no corpo durante essa fase. A maioria dessas mudanças possibilita fisicamente ao homem e à mulher fazer um filho.

A outra palavra que é utilizada para descrever esse intervalo de tempo entre a infância e a vida adulta é *adolescência*. A palavra *adolescência* vem do latim *adolescere*, que significa *crescer*. Quando as pessoas usam a palavra *adolescência*, elas geralmente se referem não só às mudanças físicas que ocorrem durante a puberdade, mas também aos novos pensamentos, sentimentos, relacionamentos e responsabilidades que as crianças adquirem ao se tornar adultos jovens.

Apesar de as palavras *adolescência* e *puberdade* terem significados um tanto diferentes, as pessoas geralmente as usam como sinônimos.

A puberdade, ou adolescência, é uma fase intermediária, na qual o garoto e a garota não são mais crianças, mas ainda não são adultos.

Sou uma abelhescente.

Você está é sendo melosa.

As meninas geralmente iniciam a puberdade aos nove, dez ou onze anos. Os garotos iniciam a puberdade cerca de um ano mais tarde, quando têm dez, onze ou doze anos. A puberdade ocorre na maioria dos jovens por um período de uns poucos anos. Isso geralmente lhes dá um tempo para se acostumar com seu corpo adulto.

Espero que o corpo não entre de uma hora para outra na puberdade!

Eu gostaria disso. A gente acabaria com tudo de uma vez só.

As muitas mudanças que ocorrem no nosso corpo durante a puberdade são provocadas por hormônios. Hormônios são substâncias químicas produzidas em vários lugares diferentes do corpo. Eles percorrem a corrente sangüínea desde o local em que são feitos até outro lugar do corpo em que tenham uma função para cumprir.

A palavra *hormônio* vem da palavra grega *hormon*, que significa *movimentar* — fazer alguma coisa funcionar. Há muitos tipos de hormônios em nosso corpo.

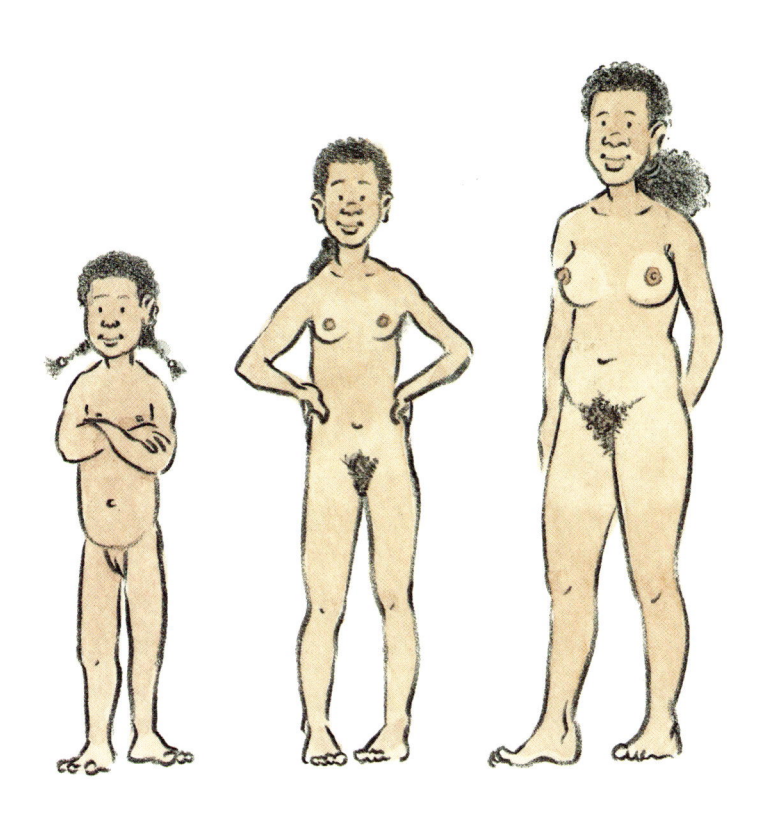

Durante a puberdade, o cérebro começa a fabricar hormônios. Esses hormônios mandam uma mensagem aos órgãos sexuais — os testículos do garoto ou os ovários da garota — para se iniciar a produção de hormônios sexuais.

Os hormônios sexuais do corpo do homem então instruem os testículos a produzir espermatozóides. E os hormônios sexuais do corpo da mulher instruem os ovários a liberar um óvulo.

São os hormônios sexuais que provocam as mudanças que fazem o corpo das crianças transformar-se em corpo de adulto. Só então é que os seres humanos podem ter filhos.

Assim que os hormônios sexuais passem a funcionar, começa a puberdade. Alguns hormônios sexuais desencadeiam mudanças nos órgãos sexuais dos garotos e das garotas e ao seu redor. Outros desencadeiam mudanças por todo o corpo. Os hormônios sexuais podem também mexer com as emoções e o humor das garotas e dos garotos.

Muitas culturas, religiões, comunidades e famílias comemoram o início da puberdade de um garoto ou de uma garota com uma festa ou cerimônia. Elas encaram a puberdade como uma fase especial do crescimento. Outras preferem deixar passar a entrada na puberdade sem festas nem cerimônias. Elas encaram a puberdade simplesmente como uma fase normal e comum do amadurecimento.

> Espero não ter hormônios circulando por mim! Quero que meu corpo fique do jeito que é. Gosto dele assim.

> Eu estou pronto para mudar.

> Vamos dar uma festa para comemorar nosso crescimento!

> Nada disso! Meu crescimento é problema meu, não dos outros.

11
A Viagem do Óvulo
Puberdade Feminina

"Comecem a produzir hormônios sexuais femininos!" — o cérebro da mulher ordena a seus ovários na puberdade. E os ovários começam a produzir os hormônios estrógeno e progesterona. O estrógeno manda os óvulos, que estão nos ovários da menina desde que ela nasceu, amadurecerem.

Geralmente apenas um óvulo amadurece de cada vez.

> Não há ninguém melhor para me mandar amadurecer!

> Eu gostaria que houvesse.

Quando os óvulos amadurecem, os ovários fazem uma coisa que nunca fizeram antes. Cerca de uma vez por mês, eles liberam um único óvulo amadurecido. Um óvulo tem quase o tamanho de um grão de areia.

Os óvulos são as células sexuais femininas. Os ovários de uma menina geralmente iniciam a liberação dos óvulos durante a puberdade. Ela vai liberar cerca de 400 a 500 óvulos durante a vida. A liberação de um óvulo é chamada de ovulação. A palavra *ovulação* vem da palavra *ovulum*, que em latim significa *pequeno ovo, óvulo*.

Quase no mesmo período de todo mês, quando um óvulo se desprende dos ovários, ele é levado por prolongamentos parecidos com dedos a uma das trompas de Falópio, onde inicia sua viagem até o útero.

A trompa de Falópio é o local onde o óvulo talvez se encontre com um espermatozóide e se una a ele. Uma vez unido a um espermatozóide, ele se torna a primeira célula de um bebê. A união de um óvulo com um espermatozóide chama-se concepção ou fecundação.

O óvulo fecundado continua a viajar pela trompa de Falópio em direção ao útero, onde o hormônio sexual feminino progesterona ajudou a criar um revestimento macio, que está pronto para acolhê-lo. Então o óvulo fecundado se instala nessa camada interna do útero. Esse revestimento macio, espesso e aconchegante é constituído de novos vasos sangüíneos, tecido e outros líquidos e é criado de forma que o óvulo fertilizado tenha um local sadio para crescer.

Se o óvulo foi fecundado, ele se fixará no útero e lá ficará, transformando-se em bebê. Na maior parte das vezes, porém, o óvulo não é fecundado. Se o óvulo não se une a um espermatozóide dentro de cerca de 24 a 36 horas depois de sair do ovário, ele não permanece no útero e não se transforma em bebê.

Em vez disso, o óvulo se rompe enquanto ainda está no útero e se mistura a uma certa quantidade de sangue e líquido do revestimento macio do útero. Já que não há nenhum óvulo fecundado em início de crescimento no útero, esse revestimento macio é desnecessário e se dissolve. Ele então sai do útero para fora do corpo, pela vagina, na forma de uma pequena quantidade de sangue, outros líquidos e tecidos. A saída mensal desse revestimento do útero pela vagina chama-se menstruação. A palavra *menstruação* vem da palavra do latim *mensis*, que significa *mês*.

> Eu gosto bastante dessas palavras do latim.

> Parece grego para mim.

O período entre o início de uma menstruação e a próxima é de cerca de um mês e é chamado de ciclo menstrual.

As meninas geralmente começam a menstruar depois que seus ovários iniciam a liberação de óvulos. Assim que os ovários de uma garota tenham começado a liberação de óvulos, ela pode engravidar se tiver uma relação sexual.

Algumas meninas começam a liberar óvulos até mesmo antes de menstruar. Isso quer dizer que é possível, embora seja muito raro, uma garota engravidar antes de começar a ter menstruações. As meninas em geral menstruam a partir da idade de onze ou doze anos. Mas algumas começam mais cedo, aos nove, e outras bem mais tarde, aos quinze, o que é perfeitamente normal.

Na primeira vez que uma garota menstrua, ela pode ficar com medo de que uma grande quantidade de sangue saia de repente para fora. Na verdade, o sangue geralmente sai devagar. Apenas algumas colheres de sopa ou cerca de 50 mililitros de sangue e tecido escoam durante cada menstruação. Porém, a quantidade pode ser maior ou menor, e isso também é perfeitamente normal.

O fluxo prossegue por alguns dias. É por isso que as pessoas chamam a menstruação de período menstrual ou "regras". Outras chamam a menstruação de "chico", "aqueles dias" ou "o ciclo". Não importa como a chamem, a menstruação é uma ocorrência saudável.

O ciclo normalmente dura cerca de três a oito dias. Quando uma

A VIAGEM DO ÓVULO: *Menstruação*

Na puberdade, o cérebro diz aos ovários que produzam estrógeno, que diz aos óvulos para amadurecerem.

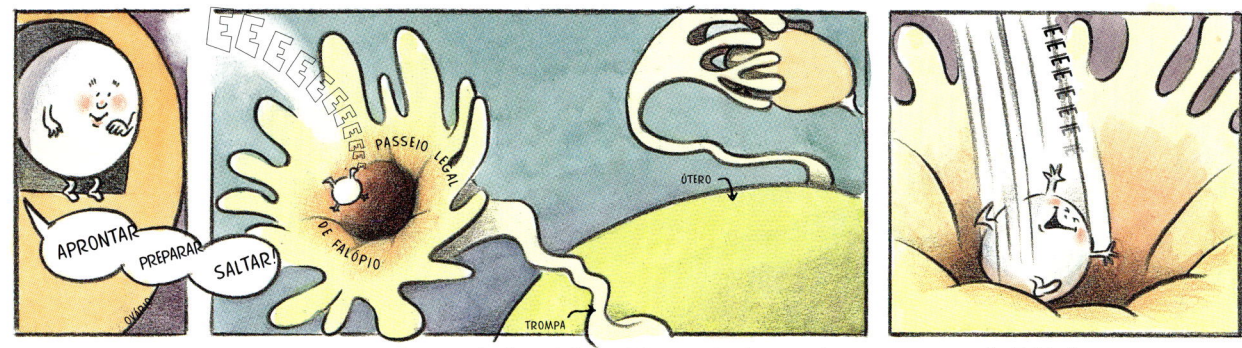

E então, uma vez por mês, um óvulo sai do ovário e pula dentro de uma trompa de Falópio...

...onde ele aguarda antes de viajar para o útero.

No útero, o óvulo e o revestimento dissolvem-se e saem. No mês seguinte...

menina menstrua pela primeira vez, seu fluxo geralmente se dá irregularmente — às vezes com poucas semanas de intervalo, às vezes com várias semanas. Quase sempre leva de um a dois anos para que o ciclo menstrual da garota se regularize para cerca de um mês. Certas garotas e mulheres nunca chegam a ter ciclos menstruais regulares, e isso também é perfeitamente normal.

A maioria das garotas e das mulheres mantém suas atividades normais durante a menstruação. Por exemplo: tomam banho, nadam, fazem esportes, dançam e fazem qualquer coisa de que elas gostam. Algumas garotas e mulheres têm cólicas — geralmente dores desconfortáveis e passageiras, ao redor da região do útero — antes e durante o período menstrual. A maioria das cólicas é normal.

Quando as garotas e as mulheres viajam, fazem esporte com muito empenho, ganham ou perdem muito peso ou ficam nervosas e doentes, o período menstrual pode tornar-se irregular por um tempo. E quando uma mulher fica grávida, a menstruação é suspensa até depois de o bebê nascer.

Quando as mulheres têm cerca de cinqüenta anos, o corpo delas começa a produzir menos hormônios sexuais. Por causa disso, seus ovários param de liberar óvulos e elas deixam de menstruar. Essa fase da vida da mulher é chamada de menopausa — a pausa ou a parada da menstruação. Quando a mulher deixa de ter ciclos menstruais, ela não é mais capaz de ficar grávida.

Durante o ciclo, a garota ou a mulher usam absorventes higiênicos e tampões (ou absorventes internos) para reter o fluxo menstrual que sai da vagina, de modo que ele não

Sou louco por conforto.

E quem não é? Uma abelha gostaria de ser!

escorra para a calcinha. Elas podem usar o que for mais confortável.

Higiênico significa *limpo, saudável*. Os absorventes e os tampões são feitos de um material esterilizado e macio parecido com algodão e absorvem o fluxo menstrual. O absorvente adapta-se à parte interna das calcinhas da garota ou da mulher, bem embaixo do

O lugar do absorvente

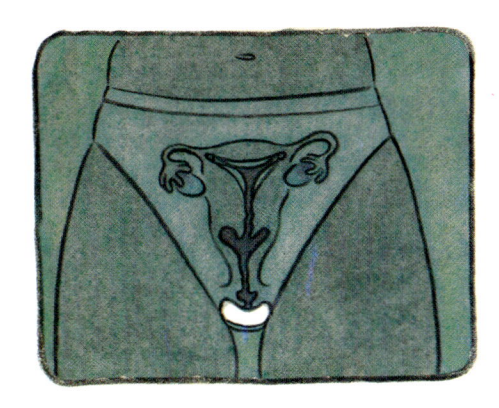

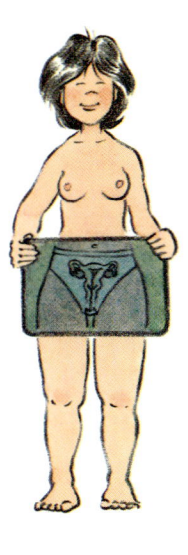

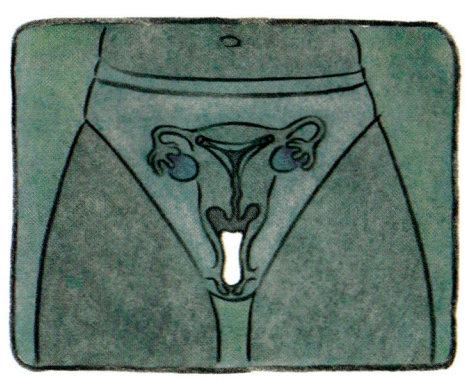

O lugar do tampão

Absorventes

Tampões

Puberdade 35

orifício da vagina. A maioria dos absorventes possui uma tirinha de fita adesiva em um dos lados, para mantê-los no lugar. Os tampões se encaixam dentro da vagina.
O tampão não consegue entrar no útero porque o colo é um orifício muito estreito para a sua passagem.

Uma maneira de a garota descobrir quando ela poderá ter sua primeira menstruação é perguntar à sua mãe. Se a mãe começou a menstruar mais cedo, é bem provável que a filha comece cedo também. Se a mãe começou mais tarde, é bem provável que a filha comece mais tarde.

Pode ser proveitoso conversar sobre menstruação com alguém — sua mãe, avó ou tia, ou uma amiga ou prima mais velha. A garota pode descobrir muitas coisas úteis com alguém que já menstrue, como saber como é menstruar, o que será necessário fazer para estar pronta para o primeiro ciclo, onde conseguir absorventes e tampões e como usá-los. Esse tipo de informação pode ajudar a preparar a garota para o primeiro ciclo, mesmo que ele comece em casa ou quando ela estiver na escola com suas colegas. Talvez ela queira levar na bolsa um absorvente ou um tampão para o caso de ter o primeiro ciclo fora de casa.

Esteja ela ou não bem-preparada, o primeiro ciclo menstrual geralmente surge como uma surpresa. Algumas garotas podem se sentir bastante empolgadas; outras, um pouco amedrontadas. Começar a menstruar é perfeitamente normal e faz parte do amadurecimento. A maioria das garotas acha que começar a menstruar é uma das maiores mudanças na puberdade.

12
A Viagem do Espermatozóide
Puberdade Masculina

"Comecem a produzir o hormônio sexual masculino testosterona!" — é uma das mensagens que o cérebro do garoto envia a seus testículos durante a puberdade. E os testículos obedecem. Eles começam a produzir a testosterona, que faz o corpo masculino crescer e mudar de várias novas maneiras.

Uma das coisas mais importantes que a testosterona faz é mandar os testículos iniciar a produção de espermatozóides — coisa que os testículos nunca haviam feito antes.

Parece que a puberdade é uma época agitada.

Agitada como uma abelha!

Os espermatozóides são as células sexuais masculinas. Ao contrário das meninas, os meninos só iniciam a produção de células sexuais quando chegam à puberdade. Mesmo começando na puberdade, os testículos produzem uma quantidade fenomenal de espermatozóides — cerca de 100 milhões a 300 milhões de espermatozóides por dia. Isso significa uma média de mil a três mil espermatozóides por segundo.

O escroto protege os testículos mantendo-os na temperatura certa para que produzam os espermatozóides — nem tão frio, nem tão quente, apenas alguns graus abaixo da temperatura do corpo. Se está muito frio, o escroto puxa os testículos para cima, mais perto do corpo, para mantê-los suficientemente aquecidos para a produção de espermatozóides. Quando um homem ou um garoto nadam em água fria, eles geralmente sentem o escroto encolher-se para puxar os testículos para cima. Se está muito quente, o escroto pende folgadamente, distante do corpo, outra vez mantendo os testículos exatamente na temperatura certa para produzir espermatozóides.

Depois de produzidos, os espermatozóides do testículo direito deslocam-se pelo epidídimo direito, e os do testículo esquerdo deslocam-se pelo epidídimo esquerdo. À medida que se deslocam, os espermatozóides crescem o suficiente para conseguir fecundar — unir-se com — o óvulo feminino.

Os espermatozóides deslocam-se através do canal deferente e passam pelas vesículas seminais. À medida que passam, eles se misturam com o líquido das vesículas seminais e da próstata.

A mistura de espermatozóides com esse líquido chama-se sêmen. O sêmen é pegajoso, leitoso e esbranquiçado. As substâncias químicas presentes nele mantêm os espermatozóides saudáveis em sua viagem até a uretra, através dela e para fora da ponta do pênis.

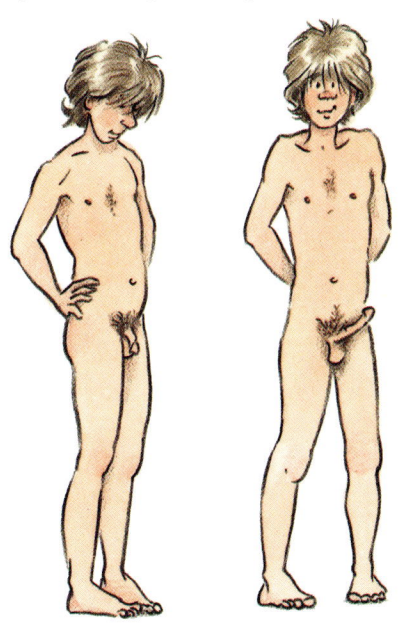

Os espermatozóides saem do corpo quando o homem ejacula o sêmen. *Ejacular* significa *liberar de*

Puberdade 37

A VIAGEM DO ESPERMATOZÓIDE: *Ejaculação*

Na puberdade, o cérebro manda os testículos produzirem testosterona e espermatozóides.

Os espermatozóides deslocam-se para os epidídimos, onde amadurecem e seguem viagem...

...pelos canais deferentes, passando pelas vesículas seminais e pela próstata,

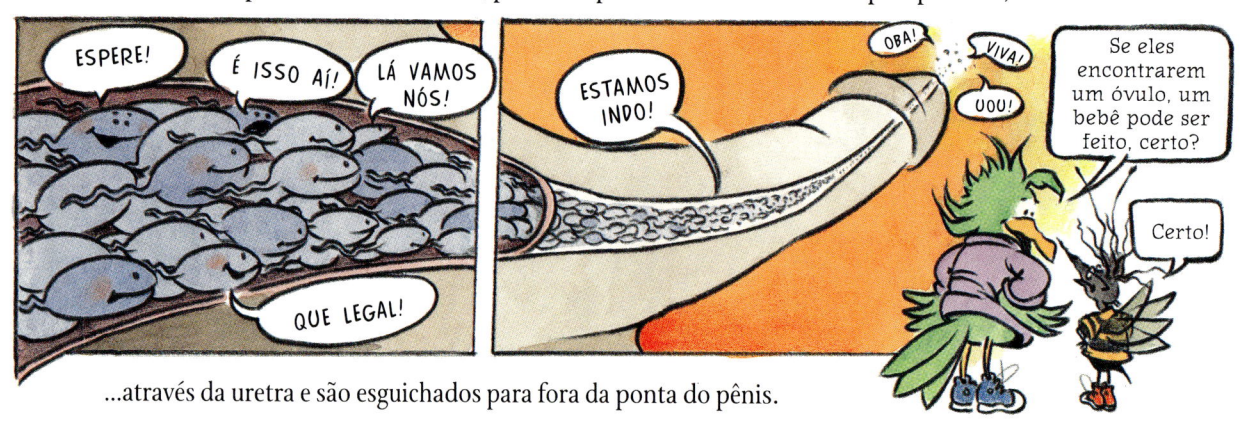

...através da uretra e são esguichados para fora da ponta do pênis.

repente ou *soltar*. Quando o homem ejacula, seu pênis geralmente está ereto.

É isto que acontece dentro do corpo do homem quando ele tem uma ereção: Quando o pênis não está ereto, o sangue percorre o pênis e volta à corrente sangüínea continuamente. Mas, quando o pênis tem uma ereção, os músculos que deixam o sangue fluir para dentro e para fora do pênis distendem-se e permitem a entrada de mais sangue, enquanto outros músculos se retesam e impedem que outra quantidade de sangue saia do pênis. Isso faz com que o tecido esponjoso interno do pênis se infle, o que por sua vez faz o pênis ficar duro, ereto e projetar-se para fora do corpo. Esse inflamento se chama ereção.

Quando a ereção termina, os músculos relaxam e deixam o sangue voltar a fluir do pênis para o corpo, e o pênis torna-se mole de novo.

O homem pode ter uma ereção quando seu pênis é acariciado e massageado; quando ele tem pensamentos de prazer ou vê alguém que o deixa contente, empolgado, excitado ou tenso; quando ele está vendo um filme ou um programa de televisão e alguma coisa no filme ou no programa o estimulam; quando alguém que é atraente para ele passa por perto; ou quando ele tem um sonho prazeroso.

Os homens geralmente têm ereção quando acordam. Se sua bexiga — o local onde a urina é armazenada no corpo — está cheia, a própria bexiga cheia excita certos nervos na base do pênis, o que faz mais sangue fluir para o pênis. Esse tipo de ereção tem pouco a ver com sensações e pensamentos eróticos.

É comum os homens terem ereção antes e durante o ato sexual. A ereção faz com que o pênis possa entrar na vagina. Às vezes os homens têm ereções sem razão aparente, mesmo quando não querem tê-las.

Algumas pessoas chamam a ereção de "dureza" ou "pau duro". As ereções normalmente duram de poucos segundos a alguns minutos, meia hora ou mais. Os homens podem ter ereções desde quando são bebezinhos até bem velhos.

Isto é o que ocorre dentro do corpo do homem quando ele tem uma ejaculação: os músculos de cada epidídimo, de cada canal deferente e das vesículas seminais, juntamente com os músculos ao redor da glândula próstata, contraem-se e impulsionam o sêmen para a uretra. O sêmen, que contém espermatozóides, percorre a uretra e esguicha pela ponta do pênis. Esse esguicho de sêmen — ejaculação — provoca uma sensação de excitação chamada orgasmo.

Que lançamento!

Igual a nave espacial!

Puberdade

Durante a ejaculação, os músculos se retesam de modo que a urina não saia pelo pênis ao mesmo tempo que o sêmen. Depois da ejaculação, o pênis torna-se mole de novo e não fica mais ereto. Geralmente, de 200 milhões a 500 milhões de espermatozóides são lançados numa única ejaculação — quase uma colher de chá de sêmen. Os homens podem ter e têm ereções sem ejacular sêmen algum. Quando isso ocorre, o sangue sai do pênis devagar e volta à corrente sangüínea, a ereção passa aos poucos e o pênis amolece de novo, pendendo como de costume. Também é possível, embora não aconteça com muita freqüência, o homem ejacular sem ter ereção.

Os garotos tornam-se capazes de ejacular durante a puberdade, o que se mantém até idade bem avançada. A ejaculação ocorre geralmente durante uma relação sexual. Pode também ocorrer com outros tipos de carícias e excitamento sexuais ou mesmo durante o sono.

Os garotos geralmente começam a ter "sonhos molhados" na puberdade. Os sonhos molhados acontecem durante o sono, quando o garoto tem sonhos de prazer, excitantes ou eróticos e ejacula um pouco de sêmen. Quando o garoto acorda, seus pijamas ou os lençóis podem estar molhados ou pegajosos por causa do sêmen ejaculado.

Ai... que sujeira!

Não importa. Isso significa que as máquinas de lavar estão muito ocupadas durante a puberdade.

O termo científico para sonho molhado é *polução noturna*. *Polução* vem do latim *pollutione*, que quer dizer *sujeira*, e *noturna*, porque ocorre de noite. Os sonhos molhados são acontecimentos comuns e normais em garotos. A primeira ejaculação em garoto geralmente acontece durante um sonho. Uma vez que o homem tenha começado a produzir espermatozóides, se apenas um de seus espermatozóides se unir a um óvulo durante uma relação sexual, a mulher pode ficar grávida e a célula fecundada pode vir a se tornar um bebê. Muitos garotos acham que começar a ejacular é uma das maiores mudanças na puberdade.

13
Não Tudo Junto!
Amadurecimento e Mudanças do Corpo

Na puberdade, os hormônios sexuais fazem os garotos e as garotas crescerem e passarem por outras mudanças.

Essas mudanças não acontecem todas de uma vez. A maioria ocorre devagar, ao longo de alguns anos; algumas ocorrem rapidamente, e geralmente, mas nem sempre, acontecem numa ordem quase exata:

Garotas: Mudanças da Puberdade

- Os ovários ficam maiores gradualmente.
- O corpo sua mais.
- A pele e os cabelos ficam mais oleosos.
- O corpo passa por um estirão (um pico) de crescimento.
- O corpo aumenta em peso e altura.
- Os braços e as pernas se alongam.
- As mãos e os pés ficam maiores.
- Os ossos da face se alargam e alongam.
- Pêlos escuros e lisos crescem ao redor da vulva e mais tarde se tornam encaracolados, abundantes e espessos.
- Um pouco de líquido branco-amarelado pode sair da vagina.

VERDADES DA PUBERDADE: O líquido branco-amarelado que pode escorrer da vagina é normal e ajuda a mantê-la saudável.

- Os quadris se alargam. O corpo começa a ficar mais curvilíneo.

VERDADES DA PUBERDADE: Os quadris da garota se alargam para que, quando ela decidir ter um filho, o bebê tenha bastante espaço para sair do útero.

- Crescem pêlos sob os braços.
- Os pêlos dos braços e das pernas ficam mais grossos e mais longos e aparecem mais.
- Os seios e os mamilos crescem em tamanho e volume.

VERDADES DA PUBERDADE: Os seios da garota aumentam de tamanho e de volume a fim de tornar o corpo capaz de produzir leite para amamentar o bebê.

- Os mamilos podem escurecer.
- A menstruação começa.

VERDADES DA PUBERDADE: Assim que os ovários tenham crescido, eles começam a liberar óvulos maduros, e a menstruação se inicia. Então a garota pode engravidar.

Puberdade

Garotos: Mudanças da Puberdade

- Os testículos aumentam de tamanho e volume.
- O pênis cresce.
- O corpo sua mais.
- A pele e os cabelos tornam-se mais oleosos.
- O corpo dá um estirão de crescimento.
- O corpo aumenta em peso e altura.
- Os braços e as pernas se alongam.
- As mãos e os pés ficam maiores.
- Os ossos da face se alargam e alongam.
- Pêlos escuros e lisos crescem ao redor do pênis e mais tarde se tornam encaracolados, abundantes e espessos.
- Crescem pêlos sob os braços.
- Os ombros e o peito ficam maiores.
- Músculos maiores se desenvolvem.
- O escroto fica mais escuro.
- Bigodes, barba e costeletas começam a crescer.
- Os pêlos dos braços e das pernas ficam mais grossos e longos.
- Crescem pêlos no peito.

VERDADES DA PUBERDADE: Às vezes, a região ao redor dos mamilos do garoto pode ficar dolorida e até mesmo inchar. Isso é provocado pelos hormônios liberados durante a puberdade. A dor e o inchaço passam após alguns meses.

- A laringe, ou, como é comumente chamada, garganta, torna-se maior.
- A voz falha e depois se torna mais grave.
- O pomo-de-adão (ou gogó) pode ficar mais aparente.

VERDADES DA PUBERDADE: Quando a voz do garoto começa a falhar, num instante ela pode ser aguda, em outro, grave e, no seguinte, aguda de novo. Mas depois de algum tempo a voz do garoto começa a soar mais profunda e grave, porque a laringe e as cordas vocais se desenvolveram. Ao crescer, a laringe pode empurrar para a frente o pomo-de-adão, fazendo-o ficar mais aparente.

- Espermatozóides começam a ser produzidos.
- Ejaculações, e também sonhos molhados, passam a ocorrer.

VERDADES DA PUBERDADE: Assim que um homem possa produzir espermatozóides, se ele tiver relação sexual e se os ovários da mulher já começaram a liberar óvulos, ela poderá engravidar.

Nessa idade, o corpo dos jovens muda mais radical e rapidamente que em qualquer outra época da vida, com exceção do primeiro ano de vida.

Estou pronta para voltar no tempo o mais rápido possível.

Eu estou pronto para ir adiante.

Vamos Falar Sobre Sexo

14
Mais Mudanças
Os Cuidados com o Corpo

Muitas das mudanças físicas que ocorrem durante a puberdade fazem nosso corpo funcionar de várias novas maneiras. Isso significa que os jovens precisam aprender novas maneiras de cuidar do corpo.

Que bom! Mais mudanças!

Me dá um tempo.

Garotas e garotos ganham mais pêlos durante a puberdade. Nascem pêlos debaixo dos braços. Os pêlos dos braços e das pernas ficam mais grossos e mais longos, especialmente os dos garotos.

O pêlos do púbis, chamados pêlos púbicos, também crescem — na menina, ao redor da vulva, e no menino, ao redor da base do pênis — bem na frente de um osso chamado púbis.

A quantidade de pêlos que cresce nas faces, no peito, nos braços e nas pernas de um garoto durante a puberdade varia demais, de quase nada a bastante.

Alguns garotos e garotas começam a raspar os pêlos na puberdade. Há mulheres que decidem raspar os pêlos que nascem debaixo dos braços e nas pernas, mas outras não. Há homens que preferem raspar a barba e o bigode, outros não. No entanto, alguns grupos religiosos exigem que os garotos e os homens não usem barbeador ou tesoura para cortar os pêlos.

Durante a puberdade, as glândulas sudoríparas produzem mais suor do que antes. Tanto os garotos como as garotas passam a suar debaixo dos braços e adquirem um novo tipo de odor no corpo, às vezes debaixo dos braços, às vezes nos pés e às vezes em todo o corpo.

Essa é uma das razões por que os jovens que atravessam a puberdade tomam muitos banhos e duchas e lavam bastante o corpo e os cabelos. Essa nova espécie de suor é quase sempre um dos primeiros sinais de que a puberdade está começando. Tomar banho com sabonete e usar desodorante pode ajudar a se livrar em grande parte do cheiro forte do corpo.

Alguns jovens suam muito, outros suam pouco. É provável que você venha a suar tanto quanto seu pai ou sua mãe quando passaram pela puberdade.

Os cabelos de alguns jovens tornam-se oleosos durante a puberdade. Geralmente alguma oleosidade também começa a aparecer no nariz e na testa.

Durante a puberdade, a maioria dos garotos e das garotas apresenta erupções no rosto — principalmente no nariz e na testa. Às vezes os jovens passam a ter erupções nas costas e no peito. Essas erupções são chamadas de "espinhas".

Embora a lavagem diária e cuidadosa com sabonete e água seja um bom modo de cuidar da pele, às vezes não é suficiente. Cremes, loções e medicamentos talvez ajudem a controlar as erupções. Podem ser comprados na farmácia sem receita médica; outros precisam ser receitados por um médico e depois comprados na farmácia.

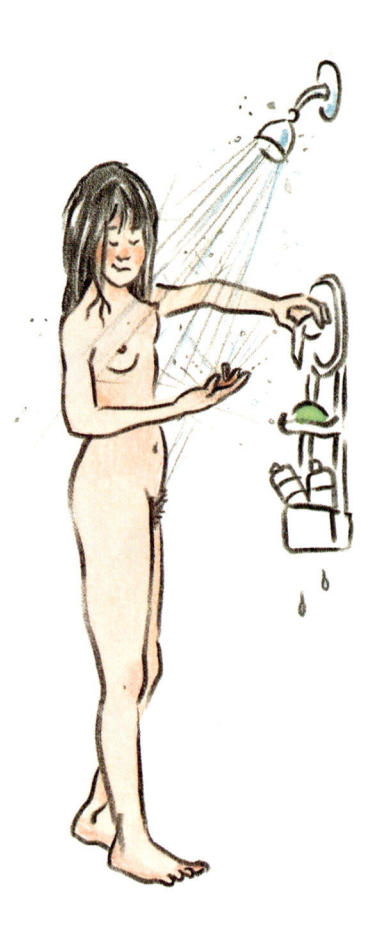

Acho que as espinhas são perfeitamente normais.

Ou perfeitamente vulgares.

Apesar de ser verdade que ninguém gosta de erupções, tê-las é muito normal. Os jovens têm erupções e cabelos oleosos e suam mais durante a puberdade porque suas glândulas sudoríparas e sebáceas estão mais ativas que nunca.

A puberdade é a época em que as meninas começam a usar sutiã, se quiserem. *Sutiã* é uma palavra que vem do francês *soutien*, que significa *sustentar, segurar*. Geralmente a garota vai comprar seu primeiro sutiã com a mãe, a avó, a irmã mais velha, uma tia ou uma amiga.

Não é necessário usar um sutiã para manter os seios saudáveis. Há garotas e mulheres que usam sutiã por se sentir mais confortáveis com ele. Algumas usam sutiã só quando fazem exercícios, outras o usam o tempo todo, a não ser ao dormir. Não importa qual seja o tamanho dos seios de uma garota ou de uma mulher, pois elas podem comprar um sutiã que se adapte bem. Os sutiãs são feitos com taças de tamanhos diferentes para servir a vários tamanhos de seios.

Há mulheres e garotas que nunca usam sutiã.

Muitos garotos e homens usam sungas quando praticam esportes. A sunga adapta-se sobre os testículos e o pênis, mantendo-os no lugar e protegendo-os contra ferimentos ou contusões. Ao jogar certos esportes de risco, como hóquei ou críquete, os homens podem inserir na parte da frente da sunga uma espécie de taça de plástico, chamada de protetor atlético, para proteger melhor os testículos e o pênis. Esses também são feitos em vários tamanhos.

Uau! Há taças de todos os tamanhos e formatos, não é mesmo?

Claro que sim! Como taças de champanhe e taças de tênis!

O corpo das garotas e dos garotos muda de jeitos tão diferentes durante a puberdade que cuidar dele pode às vezes dar um trabalhão. Porém, comer alimentos saudáveis, exercitar-se e manter a forma, a higiene e dormir bem podem ajudar garotos e garotas a se sentir fortes e de bem com o crescimento e as mudanças que estão ocorrendo.

15
Vai e Volta, Sobe e Desce
Sentimentos Novos e Mutantes

As várias mudanças físicas que ocorrem nos jovens durante a puberdade são geralmente acompanhadas por novos e fortes sentimentos sobre como o corpo está, se expressa e age, e por novos e fortes sentimentos sobre o amadurecimento e sexo.

Vários jovens se entusiasmam com essas mudanças e se sentem muito bem com seu corpo, e vários outros as acham terríveis e se sentem intimidados ou atrapalhados. A maioria dos jovens, em um ou outro momento da puberdade, sente-se confusa, desconfortável e até receosa com essas mudanças enormes e às vezes rápidas.

Já chega dessas mudanças!

Qual é o problema? Você ainda vai ter o mesmo corpo.

Mas eu aposto que às vezes não vai parecer o mesmo corpo.

Garotas e garotos freqüentemente têm curiosidade sobre o tamanho de partes do seu corpo. A verdade é que, pequeno, médio ou grande, o tamanho das partes do corpo de uma pessoa não tem nada a ver com o bom funcionamento dela.

Também é verdade que corpos diferentes se desenvolvem de maneiras diferentes. Algumas garotas vêm a ter seios pequenos, outras vêm a ter seios médios e outras, seios grandes. Alguns garotos vêm a ter pênis pequeno, outros vêm a ter pênis médio e outros, pênis grande. Há seios e pênis de todas as espécies e tamanhos.

Uma garota que venha a ter seios pequenos pode fazer lembrar sua mãe, avó ou outro parente do sexo feminino. E um garoto que venha a ter poucos pêlos no corpo pode fazer lembrar seu pai, avô ou outro parente do sexo masculino. O tamanho de qualquer parte do corpo é na maioria das vezes herdado da família.

A idade em que um garoto ou uma garota iniciam a puberdade é geralmente a mesma em que um membro próximo da família do

Puberdade 45

mesmo sexo entrou na puberdade. Talvez você deva perguntar a sua mãe, seu pai ou outros membros de sua família como foi para eles entrar na puberdade e quando ela começou. Talvez eles dêem algumas dicas de como será seu desenvolvimento.

As garotas e os garotos sempre se perguntam se tem importância seu corpo entrar na puberdade rápido ou devagar, mais cedo ou mais tarde, primeiro ou por último. O momento em que seu corpo muda, ou a velocidade em que seu corpo muda, não tem nada a ver com a aparência e o funcionamento que ele terá.

Mesmo assim, entre seus amigos ou na sua sala de aula, pode ser difícil ser a primeira ou a última garota a menstruar, ou o primeiro ou o último garoto a mudar a voz; a primeira ou a última garota a usar sutiã, o primeiro ou o último garoto a se barbear; a pessoa mais baixa num ano e a mais alta no ano seguinte.

Infelizmente, garotas e garotos se caçoam durante a puberdade sobre a aparência e o crescimento do corpo do outro. Os braços, as mãos, as pernas e os pés dos jovens podem ficar mais longos ou maiores antes que o resto do corpo se iguale. A voz do garoto pode falhar bem no meio de uma frase, ou a garota pode ganhar uma espinha na testa bem no momento de ir a uma festa. Esse é o tipo de coisa que geralmente incomoda os jovens ao atravessar a puberdade.

Muitos jovens se preocupam com as amizades durante a puberdade, talvez porque essa seja a época em que alguns começam a ter namoradas ou namorados. Um de seus amigos, até o melhor deles, pode começar a se interessar e mesmo a se sentir sexualmente atraído por outras pessoas, enquanto você não está nem um pouquinho interessado. Um de seus amigos pode começar a namorar, ou você pode começar a namorar, e seu melhor amigo não.

> É duro desabrochar cedo... ou tarde.

> Só preciso que as flores desabrochem. Não me importa quando elas desabrocham.

46 Vamos Falar Sobre Sexo

Às vezes os jovens se sentem irritados ou ciumentos quando um amigo namora e começa a passar mais tempo com o namorado ou a namorada. Embora muitas amizades antigas continuem firmes durante a puberdade, algumas mudam. Namorados e namoradas são outra coisa com que os jovens implicam na puberdade.

Com coisas tão diferentes acontecendo em seu corpo durante a puberdade, não é de admirar que garotos e garotas tenham sentimentos tão diversos. Geralmente eles podem se sentir mal-humorados ou rabugentos, ou até tristonhos, e chorar mais do que o comum. E o humor deles pode mudar rápido. O garoto ou a garota podem estar rindo num momento e se sentir com vontade de chorar no minuto seguinte.

Esses sentimentos diversos geralmente vão e voltam, sobem e descem, como um ioiô. A atuação mais intensa dos hormônios sexuais é um dos fatores que fazem os jovens ter alterações de humor, assim como desenvolver novos e fortes sentimentos durante a puberdade.

Enquanto o corpo das garotas e dos garotos vai se transformando em corpo de adulto, eles nem sempre têm certeza de que estão prontos para ser adultos. Às vezes preferem ser tratados como crianças. Outras vezes querem ser tratados como adultos. A mudança de criança para adulto tem momentos difíceis. Porém, mais cedo ou mais tarde os jovens se acostumam, se sentem à vontade e bem com seu corpo mais adulto.

Quanto mais cedo eu mudar, melhor será.

Para mim, quanto mais tarde melhor.

Puberdade 47

16
Perfeitamente Normal
Masturbação

Durante a puberdade, quando os hormônios sexuais fazem os órgãos sexuais dos garotos e das garotas tornar-se mais ativos, muitos adolescentes começam a ter ainda mais sensações de prazer e excitação com seu próprio corpo.

Essas sensações são geralmente chamadas de sensualidade, ou "sentir-se excitado". Embora seja difícil descrevê-las, são sensações normais. Elas ocorrem em horas diferentes e de modos diferentes com pessoas diferentes.

Garotos e garotas, adolescentes e adultos também sentem essa sensualidade quando se masturbam. Masturbar-se é acariciar ou massagear qualquer um dos órgãos genitais do seu corpo por prazer — porque é gostoso.

Algumas pessoas acham que masturbar-se é errado e prejudicial. Algumas religiões acham que isso é pecado. Mas a masturbação não faz mal e não resulta em gravidez, não passa nem provoca infecções que são transmitidas por contato sexual. Muitas pessoas se masturbam; muitas, não. Masturbar-se ou não é uma escolha sua. A masturbação é perfeitamente normal.

Quando as pessoas se masturbam, elas geralmente massageiam seus órgãos genitais com as mãos ou com alguma coisa macia, como um travesseiro. As garotas geralmente massageiam o clitóris; os garotos geralmente massageiam o pênis. Tanto o clitóris quanto o pênis são sensíveis a carícias. A pessoa pode sentir uma sensação de acaloramento, gostosa,

Mas-tur-ba-ção. Já ouvi falar disso.

É só mais uma palavrona. Não passa disso.

48 Vamos Falar Sobre Sexo

excitante, de formigamento por todo o corpo quando se masturba. Essa sensação pode se tornar mais e mais intensa até chegar ao auge, ou clímax. Nesse momento, o homem talvez ejacule; a mulher pode sentir sensações fortes e excitantes só na região ao redor da vulva ou por todo o corpo. A mulher pode também sentir alguma umidade na vagina. Tanto para as mulheres como para os homens, isso se chama ter um orgasmo. Alguns chamam a isso de "gozar". Depois de ter um orgasmo, a pessoa geralmente sente enorme satisfação e relaxamento.

Comumente, mas não sempre, as pessoas têm orgasmo quando se masturbam ou quando têm uma relação sexual. Tanto as garotas como os garotos podem também ter orgasmos durante o sono.

As pessoas têm orgasmo certas vezes e em outras não. Nem todo mundo tem orgasmos.

Geralmente quando as pessoas se masturbam, elas fantasiam sobre alguém ou alguma coisa alegre ou prazerosa ou erótica. Algumas pessoas ficam sexualmente excitadas sem se masturbar, só vendo figuras sensuais ou imaginando ou tendo fantasias com algo que dê prazer. Pessoas de todas as idades se masturbam — bebês, crianças, adolescentes, adultos e idosos. Garotas e garotos quase sempre começam a se masturbar na puberdade, mas muitos o fazem antes disso.

> Já ouvi demais sobre sexo.

> Eu não.

Parte 4
Famílias e Bebês

17
Todo Tipo de Família
O Afeto por Bebês e Crianças

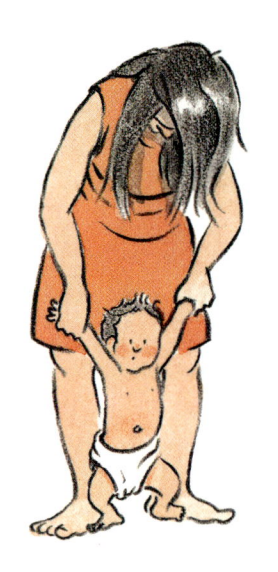

Bebês e crianças são criados em todo tipo de família. Há crianças cujos pais vivem juntos ou cujos pais vivem separados, ou que só têm um dos pais, ou cujos pais ou um deles as adotaram, ou que vivem com um dos pais e um padrasto ou madrasta, ou que vivem com uma tia, um tio, uma avó, um avô ou outro parente, ou que têm um pai *gay* ou uma mãe lésbica, ou que têm pais de criação.

Avós e primos e tios e tias fazem parte da mesma família, e há pessoas que acham que seus grandes amigos também fazem parte da família. Membros da família e amigos amam e cuidam da maioria das crianças.

Minha família abandonou o ninho — voou da gaiola.

Minha família fica grudada — em volta da colméia.

Trazer um bebê ao mundo é um acontecimento importante e empolgante. Tornar-se pai ou mãe é uma das maiores mudanças que podem ocorrer com uma pessoa. Traz junto com ela todos os tipos de responsabilidades, novas e diferentes.

Essas responsabilidades incluem cuidar muito bem de si mesmo e também do bebê e da família. É por isso que a decisão de quando formar uma família é tão importante. Apesar de fisicamente ser possível uma garota e um garoto fazerem um filho quando a garota já começou a menstruar (e, em casos raros, até mesmo antes) e o garoto começou a produzir espermatozóides, faz muito sentido esperar até se estar pronto e ter idade suficiente para assumir responsabilidades tão grandes assim.

Ter um bebê quando se é muito jovem pode ser penoso. Há um monte de motivos para isso. Os bebês de crianças e adolescentes geralmente nascem com peso muito baixo, mesmo depois de nove meses completos no útero. Os bebês de pouco peso têm mais propensão a problemas de saúde no nascimento e durante o crescimento.

Os bebês são uma belezinha. Merecem amor — são tão macios e aconchegantes.

Mas você não precisa tomar conta de um bebê o dia todo, a noite toda, entra dia, sai dia, alimentá-lo, dar-lhe banho, vigiá-lo, brincar com ele, vesti-lo, despi-lo, trocar as fraldas...

Já percebi.

Famílias e Bebês 51

Os pais sempre acham duro cuidar do bebê, especialmente se eles ainda são crianças ou adolescentes. Os jovens que ganham um bebê geralmente perdem a liberdade de fazer o que quiserem. É difícil sair com amigos ou fazer as lições de casa quando há um bebê por perto. Os bebês precisam de muita atenção, entra dia, sai dia, todo dia, toda noite.

Os adolescentes que têm bebê quase sempre precisam deixar a escola porque têm de trabalhar. Custa muito dinheiro comprar comida, roupas, brinquedos e remédios para o bebê. Geralmente é difícil os adolescentes conseguirem um emprego para pagar tudo isso, e é muito caro pagar a outra pessoa para tomar conta do bebê quando eles estiverem na escola ou no trabalho.

Os bebês são muito especiais, e a maioria das mães e dos pais amam demais seu filhinho. Mas é sempre mais fácil e salutar os adolescentes esperarem até terem idade para ganhar um bebê. Isso dá mais chance ao bebê e aos pais de começarem a vida direito.

18
Instruções da Mamãe e do Papai
A Célula: Genes e Cromossomos

Todas as criaturas vivas têm como início uma única célula. Quando duas células sexuais — um óvulo e um espermatozóide — unem-se numa única célula, ela carrega toda a informação necessária para fazer um bebê — um novo ser humano. Essa informação é armazenada em mais de 100 mil genes no núcleo da célula.

Certos cientistas descrevem os genes de uma pessoa como pacotinhos de instruções. Os seus pacotinhos de instruções — seus genes — ajudaram a definir

Vamos Falar Sobre Sexo

todo tipo de coisa em você — se você é homem ou mulher, a cor dos seus olhos, o formato das suas orelhas, o tipo e a cor dos seus cabelos e a cor de sua pele.

Ou a cor dos seus jeans.

Não desse tipo de jeans!

Seus genes vieram de ambos os pais e, através deles, dos pais deles e, através deles, das gerações anteriores dos dois lados de sua família. E muitos dos seus genes serão transmitidos a seus filhos e netos.

Os genes são feitos de DNA — abreviatura de uma substância química chamada ácido desoxirribonucléico. Os genes são transportados em longos cordões de DNA que parecem linhas, chamados cromossomos. O gene é a menor parte de um cromossomo.

O cromossomo é uma parte de cada célula, que leva os genes da pessoa. Você pode imaginar o cromossomo como um cordão de contas em que cada conta é um gene.

Um cromossomo

As células do corpo humano normalmente têm 46 cromossomos. Mas cada óvulo e cada espermatozóide leva apenas 23 cromossomos. Se um óvulo e um espermatozóide se unem, a célula única combinada tem o total de 46 cromossomos.

Queria saber quantos cromossomos eu tenho.

Não muitos, eu diria.

Isso quer dizer que metade dos seus cromossomos, assim como metade do seu DNA, vem de sua mãe e a outra metade vem de seu pai. Você recebeu uma combinação de genes deles dois. É por isso que, ao mesmo tempo que você não é uma cópia perfeita de um dos seus pais, você provavelmente se parece com cada um deles em muitos aspectos.

Eu sou uma combinação da minha mamãe e do meu papai. Tenho as asas do meu pai e os olhos da minha mãe.

Eu tenho as asas da minha mãe e os pés do meu pai.

Se dois óvulos saírem dos ovários ao mesmo tempo e se cada óvulo for fecundado por espermatozóides diferentes, começam a se formar gêmeos fraternos, ou não-idênticos. Já que os gêmeos fraternos não possuem os mesmos genes, eles não são exatamente iguais e podem ser do mesmo sexo ou de sexos opostos.

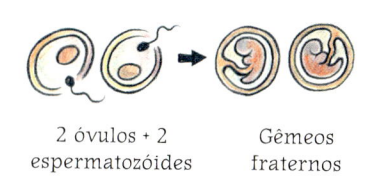

2 óvulos + 2 espermatozóides → Gêmeos fraternos

Quando dois ou mais bebês nascem no mesmo parto — gêmeos, trigêmeos e assim por diante —, o parto é chamado de múltiplo.

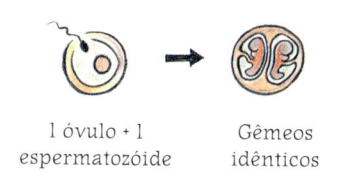

1 óvulo + 1 espermatozóide → Gêmeos idênticos

A não ser que você seja um gêmeo idêntico, você não é uma cópia genética exata do seu irmão ou da sua irmã, porque espermatozóides e óvulos diferentes se uniram para formar cada um dos bebês. Cada espermatozóide e cada óvulo portam uma combinação diferente de genes. Por isso você pode ser um pouco diferente ou bastante diferente da sua irmã ou do seu irmão.

Os cientistas descobriram que o sexo da pessoa — feminino ou masculino — é determinado no momento em que o óvulo e o espermatozóide se unem.

Famílias e Bebês

Entre os 23 cromossomos de cada óvulo e de cada espermatozóide existe um cromossomo sexual. Há dois tipos de cromossomos sexuais: X e Y.

Todos os óvulos possuem um cromossomo X e todos os espermatozóides possuem um cromossomo X ou Y. Se o óvulo for fecundado por um espermatozóide com cromossomo Y, a célula única resultante se transformará em um garotinho — XY. E se o óvulo for fecundado por um espermatozóide com cromossomo X, a célula única resultante se transformará em uma garotinha — XX.

O fato de você ser do sexo masculino ou do feminino foi determinado pelo cromossomo — X ou Y — existente no espermatozóide do seu pai que fecundou o óvulo de sua mãe.

Os genes dentro do seu corpo portam um monte de informações e determinam muitas coisas — mas não tudo — em você. O local e a maneira como você é criado, o tipo de alimento que você come e o tipo de exercício que você faz, assim como as pessoas que o rodeiam e as ocorrências em sua vida, também ajudam a definir muitas coisas em você. É por isso que não há em todo o mundo duas pessoas exatamente iguais — mesmo os gêmeos idênticos. Cada um de nós é único.

Eu sabia que minha matemática ia ajudar aqui. Ouça só: X + Y = garotinho; X + X = garotinha.

Fiquei impressionado.

Eu sou o único da espécie.

Graças a Deus por isso.

19
Um Tipo de Troca
Carinhos, Beijos, Carícias e Relação Sexual

A relação sexual, ou, como é freqüentemente chamada, "fazer amor", é uma espécie de troca entre duas pessoas. Imediatamente após a relação sexual, a origem em si de um novo ser humano — um bebê — já pode ter início, se um espermatozóide se juntar com o óvulo.

Tocar-se, acariciar-se, beijar-se e abraçar-se — geralmente chamados de "amasso" — são outros tipos de trocas que podem fazer duas pessoas se sentirem muito íntimas e amorosas e excitadas uma com a outra. A decisão de esperar para ter relações sexuais quando se é mais velho ou se sente mais responsável chama-se adiamento. A decisão de não ter relações sexuais chama-se abstinência.

Quando duas pessoas percebem que são muito jovens para ter relação sexual, não se conhecem bem ou não querem ter relação sexual por qualquer outra razão, elas podem decidir apenas ficar de mãos dadas, abraçar-se, dançar ou beijar-se.

A relação entre duas pessoas que têm afeição entre si sempre significa respeitar os sentimentos e os desejos do outro. Isso inclui respeitar o direito do outro de dizer não a qualquer tipo de atividade sexual — a qualquer momento e por qualquer razão.

Famílias e Bebês 55

Por que não?

Porque eu disse não!

A relação sexual geralmente começa com duas pessoas se tocando, acariciando, beijando e abraçando.

Depois de um tempo, a vagina da mulher torna-se úmida e escorregadia, seu clitóris endurece, e o pênis do homem fica ereto, duro e maior. Às vezes, um pouco de fluido claro, que pode conter alguns espermatozóides, sai pela ponta do pênis e o torna úmido. A mulher e o homem começam a ficar excitados um com o outro.

Isso me parece excitante.

Parece vulgar e sujo. Eu não quero ouvir mais sobre isso.

Agora já é possível o pênis ereto do homem penetrar na vagina da mulher, que se alarga de modo a adaptar-se ao redor do pênis. A umidade da vagina facilita a penetração do pênis.

Durante o ato sexual, enquanto o homem e a mulher se movem para a frente e para trás ritmadamente, o movimento do pênis dentro da vagina logo fica gostoso. A mulher e o homem podem abraçar-se e beijar-se e tocar-se à medida que tudo isso acontece e ficam mais e mais excitados.

Quando essas sensações chegam ao clímax, o sêmen é ejaculado do pênis e jorra dentro da vagina, e os músculos da vagina e do útero se contraem e depois relaxam. Uma pequena quantidade de líquido pode sair da vagina. A isso se chama "ter um orgasmo".

A mulher e o homem podem ter orgasmo em momentos diferentes. E às vezes uma pessoa tem um orgasmo e a outra, não. Depois do orgasmo, a maioria das pessoas se sente relaxada, satisfeita e às vezes sonolenta.

Toda vez que uma mulher e um homem têm relação sexual isso pode resultar em um bebê — a menos que a mulher já esteja grávida.

Vamos Falar Sobre Sexo

"Interrompemos o programa de novo para anunciar: 'Perigo de fazer bebê! Você pode ficar grávida se tiver relação sexual!'"

Não grite! Eu estava tirando uma soneca!

As pessoas têm muitas idéias equivocadas a respeito de como uma garota ou uma mulher que têm relação sexual podem ou não engravidar. É importante saber que uma garota ou uma mulher podem ficar grávidas mesmo que estejam de pé durante o ato sexual; mesmo que seja a primeira vez que têm relação sexual; mesmo que só tenham tido uma relação sexual; mesmo que elas achem ou sintam que estão menstruando; mesmo que elas não tenham um orgasmo.

A garota ou a mulher podem também engravidar mesmo que o garoto ou o homem tirem o pênis antes de ejacular. Se o esperma é ejaculado perto do orifício da vagina — ou mesmo que só um pouco de esperma tenha saído antes da ejaculação —, é possível que os espermatozóides consigam se deslocar pela vagina e se encontrar com um óvulo. Isso também pode acontecer mesmo quando a mulher e o homem não tiveram relação sexual e o esperma foi ejaculado perto do orifício da vagina.

Porém, se o homem e a mulher decidirem ter relação sexual, há métodos, chamados de controle da natalidade, que ajudam a proteger contra engravidar e ter um bebê. O casal pode proteger-se contra infecções que são transmitidas por contato sexual se usar corretamente um preservativo toda vez que tiver relação sexual. Essa é uma das maneiras de praticar o "sexo seguro".

Mas nós só fizemos uma vez, e foi a primeira!

Mas nós estávamos de pé!

Mas eu tirei antes!

Mas ela disse que não tinha tido orgasmo!

Famílias e Bebês 57

20
Antes do Nascimento
Gravidez

A palavra *gravidez* vem da palavra latina *gravidus*, que significa cheio, carregado.

A gravidez é o período anterior ao nascimento, durante o qual um óvulo fecundado se finca dentro do revestimento do útero, cresce dentro do útero e eventualmente se transforma em bebê. A união de um espermatozóide com um óvulo chama-se concepção ou fecundação.

Os cientistas descobriram exatamente como a gravidez começa pela observação de como o espermatozóide se move, encontra o óvulo e por fim se une a ele.

Os espermatozóides são ótimos viajantes, e é maravilhoso vê-los se mover ao microscópio. Você pode ver de verdade a cauda deles se movendo rapidamente para um lado e para o outro. Eles se parecem com girinos nadando e se movimentam como um cardume de peixes, em grupos enormes de cerca de 500 milhões.

Quando o sêmen é ejaculado dentro da vagina da mulher durante a relação sexual, os espermatozóides movem-se pela vagina, atravessando o colo uterino para dentro do útero e para dentro das trompas de Falópio. Se um óvulo tiver sido liberado e lançado para dentro de umas das trompas de Falópio, um espermatozóide pode unir-se a ele e fecundá-lo, e a mulher pode ficar grávida.

Só cerca de 200 espermatozóides, dos 500 milhões de uma ejaculação, chegam perto do óvulo.

Os cientistas comprovaram que uma substância química no líquido ao redor do óvulo na verdade atrai os espermatozóides, avisando-os de que o óvulo está pronto, e deixa apenas um daqueles cerca de 200 espermatozóides entrar no óvulo. Depois de esse espermatozóide penetrar no óvulo, nenhum dos outros consegue entrar e a fecundação se inicia.

Uma vez unidas, a célula do óvulo e a célula do espermatozóide tornam-se uma única célula — a primeira célula do bebê. O óvulo fecundado chama-se zigoto a partir da concepção e nos vários dias seguintes em que ele viaja para o útero; chama-se embrião nos próximos dois meses, durante os quais ele cresce no útero; e feto, durante todo o resto da gravidez até o nascimento do bebê.

A célula do óvulo fecundado leva cerca de cinco dias para viajar através da trompa de Falópio até o útero, dividindo-se sem parar. Dentro do útero, ela se implanta no revestimento interno do útero, onde ela se desenvolverá e se transformará em bebê. O útero é também chamado de "matriz".

Enquanto está no útero, a célula do óvulo fecundado continua a se dividir bilhões e bilhões de vezes

MAIS AVENTURAS DO ÓVULO E DO ESPERMATOZÓIDE: *Gravidez*

Cada óvulo aguarda na trompa de Falópio para ser fecundado por um espermatozóide.

Os espermatozóides saem do pênis, nadam vagina adentro, atravessam o útero...

...até uma trompa de Falópio, onde um óvulo pode estar esperando para se juntar a um espermatozóide.

Se um espermatozóide penetrar no óvulo, eles se tornam uma célula e a gravidez começa.

Famílias e Bebês

De Zigoto a Bebê — 9 Meses

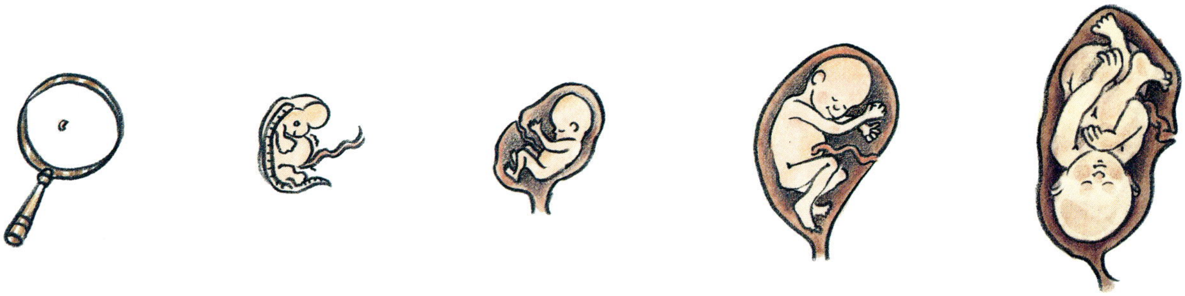

Zigoto — *1º dia*

Embrião — *1º mês*

Feto — *3º mês*

Feto — *6º mês*

Bebê pronto para nascer — *9º mês*

para formar bilhões e bilhões de células. Por fim, depois de nove meses, essas células constituem um novo ser completo — um bebê.

> Eu me pergunto quanto tempo uma célula de abelha demora para se tornar abelha.

> 21 dias.

> Uma célula de passarinho, dependendo do tamanho, leva entre 10 e 74 dias.

> Pelo tamanho do seu cérebro de passarinho... eu diria 10 dias.

No útero, uma bolsa cheia com um líquido aquoso se forma em volta do feto e o protege de cutucões, batidas e sacolejos. Ela se chama bolsa amniótica ou "bolsa das águas", e o líquido se chama líquido amniótico. O líquido é morno e mantém o bebê em desenvolvimento aquecido enquanto flutua.

Muitas crianças e mesmo alguns adultos pensam que o bebê se desenvolve no estômago da mãe. Ele não se desenvolve no estômago.

> Ótimo. Então o bebê não cresce no lugar que o hambúrguer e o *ketchup* vão.

> Graças a Deus!

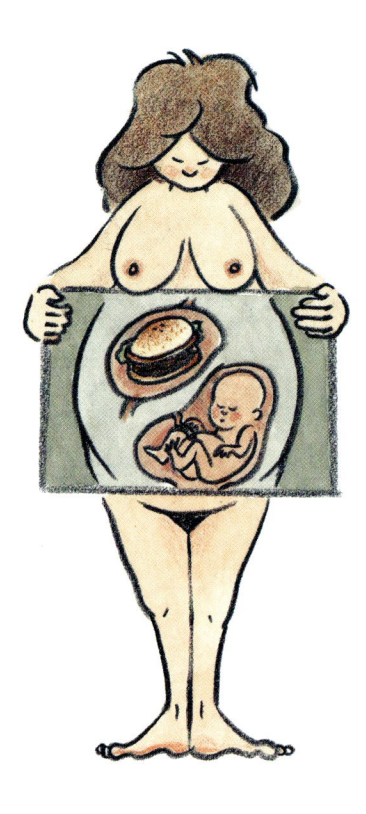

Ele se desenvolve no útero. À medida que o bebê cresce, o útero também aumenta de tamanho.

Quando o embrião se implanta no interior do útero, um órgão especial chamado placenta se forma dentro do útero. Durante a gravidez, a placenta abastece o embrião e, mais tarde, o feto, com oxigênio do ar que a mãe respira e nutrientes dos alimentos que ela come.

Os nutrientes são constituídos de vitaminas, proteínas, gorduras, açúcares, carboidratos e água — tudo que um feto necessita para se tornar um bebê sadio.

60 Vamos Falar Sobre Sexo

O cordão umbilical — um tubo flexível e macio — liga a placenta ao feto no umbigo. A palavra *umbigo* vem do latim *umbilicus*, que significa meio ou centro.

O oxigênio e os nutrientes passam da placenta para o feto com o sangue que circula pelo cordão umbilical. O oxigênio e os nutrientes, assim como outras substâncias vindas da mãe, vão do sangue dela para o sangue do feto.

Os dejetos do feto — líquidos e sólidos que restaram dos nutrientes não utilizados por ele — passam de volta pelo cordão umbilical para a placenta e vão para o sangue da mãe. Os dejetos do feto saem do corpo da mãe junto com os dejetos dela.

Medicamentos, drogas e álcool podem também passar do sangue da mãe para o sangue do feto. É por isso

> Voltamos à vulgaridade de novo.

> Você tem uma sugestão melhor?

que uma mulher grávida deve ter muito cuidado com o que ela come, bebe e põe para dentro do corpo. Se ela precisar tomar um remédio receitado, ela deve primeiro confirmar com o médico ou com a enfermeira que o remédio não prejudicará o feto.

Se uma futura mãe abusou de drogas, tomou bebidas alcoólicas, fumou, não comeu alimentos saudáveis ou teve certos tipos de infecção enquanto estava grávida, seu bebê poderá nascer com graves problemas de saúde ou apresentá-los depois. Ele poderá ter dificuldade em comer e respirar e em crescer corretamente. E se a futura mãe foi viciada em drogas, o bebê poderá nascer dependente de drogas.

Porém, se a futura mãe cuidar bem de si mesma — fizer exames regulares com o médico ou a enfermeira, comer alimentos saudáveis, exercitar-se de acordo e dormir bem —, seu bebê terá muito mais possibilidades de nascer sadio.

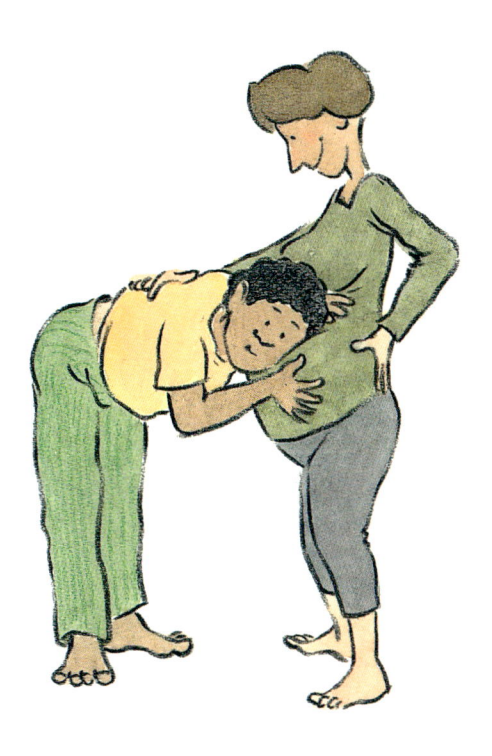

Famílias e Bebês

21
Que Viagem!
Nascimento

O nascimento de um bebê é quase sempre um acontecimento marcante e alegre. A mulher grávida sabe que seu bebê está pronto para nascer quando sente os músculos do útero se contraírem e se comprimirem e depois relaxarem, muitas vezes em seguida.

Os músculos da mulher estão na verdade empurrando o bebê para fora do útero. Todas essas contrações e compressões são chamadas de trabalho de parto.

Quando o trabalho se inicia, a grávida geralmente vai a um hospital ou maternidade, a não ser que ela tenha marcado com um médico e uma obstetriz para fazer o parto em casa. A obstetriz é uma pessoa que teve uma formação especial para ajudar a mulher a parir o filho; não é médica, mas pode ser enfermeira. Enfermeiras, o pai e às vezes outros membros da família e amigos também podem ajudar a mãe durante o trabalho de parto e no parto. O trabalho pode durar só uma hora, como pode se estender por mais de um dia.

Depois de o trabalho ter começado, e ocasionalmente antes, a bolsa amniótica — a bolsa das águas — se rompe e o líquido começa a vazar. Esse pode ser outro indício de que o bebê está pronto para nascer.

Durante o parto, o bebê sai do útero, passando pelo colo uterino, que se abriu e distendeu durante o trabalho de parto, para a vagina. A vagina alarga-se à medida que o bebê sai por ela para fora do corpo da mãe.

Que viagem!

Quem nasce deve se sentir num escorregador de água.

A vagina é freqüentemente chamada de "canal de parto", porque ela é na verdade um canal.

Na maioria dos partos, a cabeça do bebê sai primeiro da vagina. Qualquer líquido é cuidadosamente retirado de sua boca, de modo que o bebê possa respirar sozinho. Depois sai o resto do corpo. Geralmente o médico, a obstetriz ou o pai seguram delicadamente o bebê quando ele sai. Isso se chama parto vaginal.

Alguns bebês precisam ser puxados com cuidado por pinças chamadas fórceps. Isso se chama parto com fórceps. E alguns bebês saem do útero e da vagina com os pés primeiro. Isso se chama parto pélvico ou parto sentado.

Outros bebês são grandes demais para passar em segurança pela vagina. Ou estão numa posição que lhes dificulta sair sozinhos do útero e da vagina.

Quando eu nasci, eu zumbi.

Eu saí a bicadas.

Se o bebê é grande demais ou está numa posição inconveniente, o médico faz um corte de lado a lado na pele da mãe — depois de adormecer a pele com um medicamento especial chamado anestésico — e por ele retira do útero o bebê e a placenta. Depois o

QUE VIAGEM!: *Nascimento*

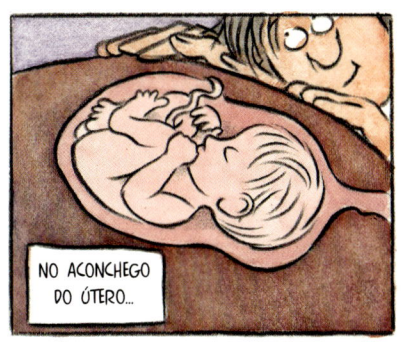

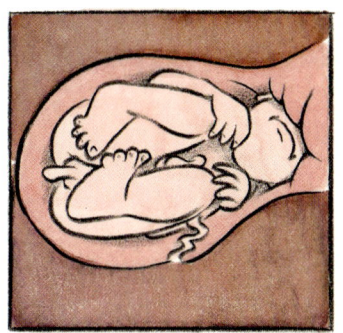

NO ACONCHEGO DO ÚTERO...

Quando chega a hora de nascer, os músculos da mãe se contraem e empurram o bebê...

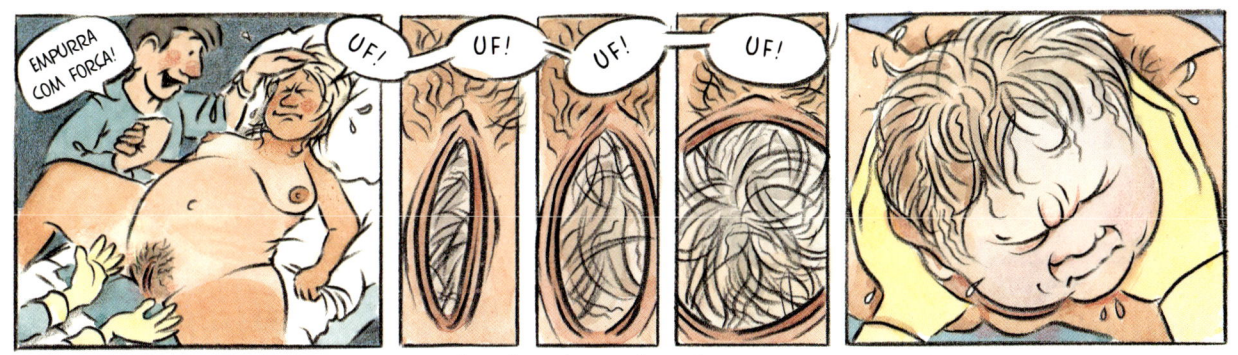

EMPURRA COM FORÇA! UF! UF! UF! UF!

...para a vagina. A vagina se alarga bastante e surge...

É UM MENINO! UÉÉÉNNN!

...o bebê, que ainda está ligado à mãe pelo cordão umbilical,

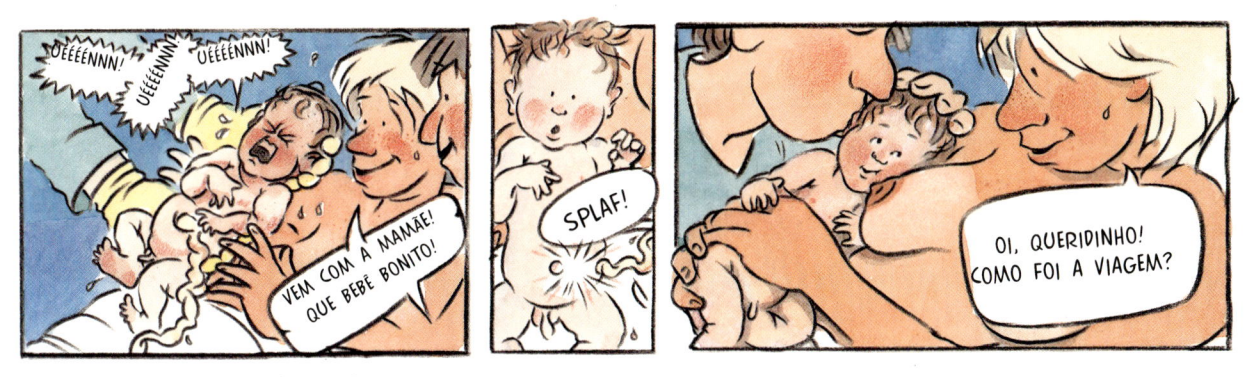

UÉÉÉNNN! UÉÉÉNNN! UÉÉÉNNN! VEM COM A MAMÃE! QUE BEBÊ BONITO! SPLAF! OI, QUERIDINHO! COMO FOI A VIAGEM?

...que é cortado. E imediatamente o bebê é acariciado e colocado junto à mãe.

Acho que vou chamá-lo de meu adorável pequeno César.

Aposto que da primeira vez que meus pais olharam para mim foi amor à primeira vista.

Estou tentando imaginar isso.

médico corta o cordão umbilical e costura o corte da mãe, que cicatriza em poucas semanas.

Isso se chama cesariana e é outra maneira sadia de o bebê nascer. Acredita-se que o termo *cesariana* seja do tempo de Júlio César, o grande dirigente, general e político romano, que talvez tenha nascido desse jeito por volta de 100 a.C. — mais de 2000 anos atrás.

O parto a fórceps, o parto invertido e a cesariana são modos perfeitamente normais de fazer o bebê nascer. Não importa como ele tenha nascido, logo depois do parto o bebê respira pela primeira vez e dá seu primeiro choro. Isso faz seus pulmões se abrirem e começarem a funcionar sozinhos. O momento do nascimento é muito emocionante!

Embora ainda esteja ligado à placenta pelo cordão umbilical, o bebê não precisa mais dela. O médico ou a obstetriz colocam um grampo no cordão umbilical e depois o cortam a cerca de três centímetros do umbigo do bebê. Já que não existe nenhuma terminação nervosa no cordão umbilical, nem o bebê nem a mãe sentem o corte.

Poucos dias depois, o pedaço grampeado do cordão umbilical seca e cai sem dor alguma. O local em que ele foi atado torna-se o umbigo da pessoa.

Depois de o cordão ter sido cortado, os músculos do útero fazem mais algumas contrações e a placenta e a bolsa amniótica escorregam para fora. Pelo fato de elas saírem depois do parto, elas são chamadas de secundinas.

O mais rápido possível, o bebê é enxugado, enrolado numa manta e entregue à mãe ou ao pai para segurá-lo um pouco.

Quando os pais seguram o recém-nascido pela primeira vez, sentem a pele dele contra a sua e a respiração dele, eles experimentam quase sempre um sentimento novo e especial de amor e admiração. Esses sentimentos de paixão e afeto entre os pais e seu filho geralmente começam no nascimento, mas podem também começar nas semanas seguintes ao nascimento.

O bebê recém-nascido é geralmente pesado e medido poucos minutos depois de nascer e lhe pingam um colírio nos olhos para evitar infecção.

O nascimento de um bebê é um acontecimento fascinante. Ao nascer, o bebê enxerga, ouve, grita, suga, agarra, tem tato e olfato, e se alimenta sugando os seios da mãe ou uma mamadeira. O recém-nascido consegue fazer uma quantidade impressionante de coisas.

Se o garotinho for ser circuncidado, quer dizer, se o prepúcio do pênis dele for ser cortado, isso geralmente é feito poucos dias depois do nascimento. Leva apenas alguns minutos para se fazer uma circuncisão.

Certas circuncisões são feitas por motivos religiosos. Garotinhos que tenham nascido sob a fé judaica ou muçulmana são comumente circuncidados por uma pessoa que aprendeu a fazer circuncisões como parte de uma cerimônia religiosa.

Algumas circuncisões são feitas por um médico por motivos de higiene — para tornar fácil a limpeza da ponta do pênis. Porém, um pênis que não tenha sido circuncidado pode ser mantido limpo puxando-se para trás o prepúcio e lavando-se delicadamente a ponta. A maioria dos médicos entende que o pênis pode ser mantido limpo seja ele circuncidado ou não.

Alguns pais gostam de fazer o filho se parecer com o pai, e às vezes é por isso que eles tomam a decisão de circuncidar ou não o filho.

Os bebês nascem de modos bem diferentes. Alguns nascem mais cedo, antes de ter passado nove meses completos no útero. Isso é chamado de parto prematuro. O bebê que nasce mais cedo é chamado de bebê prematuro ou imaturo.

Um bebê que tenha nascido apenas duas ou três semanas mais cedo já cresceu o suficiente para iniciar a vida com saúde e normalmente pode ir para casa com seus pais depois de um ou dois dias no hospital. Mas a vida fora do útero pode ser difícil para um bebê nascido um mês ou mais antes. Os pulmões dele podem não estar completamente desenvolvidos, dificultando sua respiração. O bebê pode não ser capaz de sugar ou engolir com facilidade, dificultando sua alimentação. E o bebê pode ter dificuldade em manter a temperatura do corpo.

O bebê que tenha nascido um mês ou mais antes geralmente precisa ficar no hospital até ter saúde suficiente para ir para casa. No hospital, o bebê fica num berço com equipamentos especiais chamado incubadora, que o mantém aquecido e lhe dá oxigênio — do mesmo jeito que o útero da mãe fazia com o feto —, enquanto continua a crescer. Durante o tempo que o bebê fica na incubadora, os pais dele, os médicos e as enfermeiras o alimentam e tomam conta dele.

Quando o bebê já cresceu o suficiente e está quase tão sadio quanto um bebê que tenha crescido por nove meses completos dentro do útero, come bem e mantém sua temperatura, os pais podem levá-lo para casa.

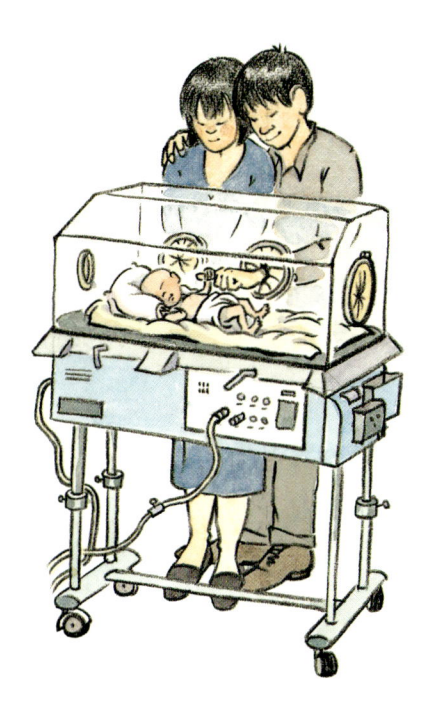

Bem-vindo à casa!

Lar, doce lar.

Famílias e Bebês 65

22
Outras Chegadas
Outras Maneiras de Ter um Bebê e uma Família

Às vezes as pessoas querem ter um bebê mas não podem, porque seus óvulos e espermatozóides não conseguem se unir. Felizmente, há outros modos de ter um bebê que não a relação sexual.

Há vários motivos por que um óvulo e um espermatozóide não conseguem se unir, como os ovários da mulher não serem capazes de liberar um óvulo todo mês; o óvulo não ser capaz de se deslocar pelas trompas de Falópio; poucos espermatozóides conseguirem chegar ao óvulo; os espermatozóides serem muito fracos para viajar até o óvulo.

No entanto, o óvulo pode ser fecundado por um espermatozóide com a ajuda de um médico, e a gravidez começa dessa forma.

O óvulo pode ser retirado de um dos ovários pelo médico e colocado num pequeno pote de vidro cheio de líquido com espermatozóides que foram ejaculados. Depois de ter sido fecundado pelos espermatozóides do pote, o óvulo é recolocado no útero e a gravidez pode se iniciar. Esse método de provocar uma gravidez é chamado de concepção ou fecundação *in vitro*. *In vitro* são palavras do latim que significam *em um vidro*.

Quando não há espermatozóides suficientes, ou espermatozóides não tão fortes para nadar até o óvulo, o médico pode colocar os espermatozóides ejaculados pelo homem na vagina ou no útero da mulher com uma seringa. No útero, os espermatozóides têm uma distância menor para nadar e uma chance maior de se unir com um óvulo em uma das trompas de Falópio.

Uma gravidez iniciada dessa forma chama-se inseminação artificial — muito embora não haja nada de artificial no óvulo ou nos espermatozóides e na união do óvulo com o espermatozóide. *Inseminar* significa *colocar uma semente em*, e, neste caso, *engravidar*.

Eu adoro essas palavras novas.

Um monte de palavras novas.

66 Vamos Falar Sobre Sexo

Às vezes, quando o homem fica muito doente, os remédios que ele precisa tomar para se recuperar podem diminuir o número de espermatozóides que ele é capaz de produzir. Antes de o homem tomar os remédios, seus espermatozóides ejaculados podem ser colocados em um banco de esperma — um laboratório médico — para ser congelados e armazenados por até dez ou quinze anos. Eles podem ser usados mais tarde para conceber um bebê por inseminação artificial.

Há pessoas que não têm jeito nenhum de conceber um bebê — por relação sexual, por fecundação *in vitro*, por inseminação artificial ou pelo congelamento do esperma. Porém, elas podem formar uma família adotando um bebê ou uma criança.

Adotar quer dizer que uma família vai trazer o bebê ou a criança de outra família para a sua casa e criar esse filho como se fosse seu. A criança adotada torna-se membro de sua nova família.

Muitas pessoas decidem adotar crianças porque não conseguem gerar um bebê. Algumas pessoas que têm condições de gerar um bebê também decidem adotar uma criança.

A adoção geralmente ocorre quando um dos pais ou os pais, impossibilitados de cuidar de seu recém-nascido ou filho mais crescido, resolvem encontrar alguém para cuidar dele, criá-lo e amá-lo.

A adoção é um procedimento legal. Isso quer dizer que um dos pais ou os pais naturais da criança assinam um papel diante de um advogado ou de um juiz dizendo que elas estão dando seu filho para sempre a um dos pais ou aos pais que querem e têm possibilidades de cuidar da criança.

Os novos pais adotivos concordam em criar a criança como se fosse sua. Eles também assinam o papel diante de um advogado ou de um juiz.

Há muitas maneiras de ter um bebê e fazer uma família. Mas, seja como for que as pessoas têm um filho, cuidar de uma criança e amá-la pode ser uma experiência maravilhosa e surpreendente.

Famílias e Bebês

Parte 5
Decisões

23
Planejamento Futuro
Adiamento, Abstinência e Contracepção

Ter ou não ter relação sexual é uma decisão que cada pessoa tem o direito de tomar. Mas sempre se deve lembrar que a relação sexual pode resultar em gravidez e em ter um bebê.

Muitos jovens decidem esperar para ter relação sexual só quando se sentem com idade e responsabilidade suficientes para tomar decisões pensadas sobre sexo. Isso se chama adiamento, ou seja, *uma espera até uma data mais adiante*. O único método seguro de não ter uma gravidez indesejada é não ter relação sexual. Isso se chama abstinência. *Abstinência* significa *abster-se, deixar de fazer alguma coisa que você quer.*

Adiamento e abstinência também ajudam a pessoa a se prevenir contra passar ou pegar infecções que são transmitidas por contato sexual.

Muitas pessoas que decidem adiar a relação sexual ou abster-se dela dizem que ainda assim podem ter um relacionamento afetuoso e sensual com outra pessoa.

Às vezes, quando as pessoas decidem ter relação sexual, elas planejam ter um bebê. Mas outras pessoas podem decidir esperar para ter um bebê ou não querer bebê nenhum. É por isso que é importante saber como prevenir a gravidez.

Planejamento familiar, *controle de natalidade* e *contracepção* são termos dados aos muitos métodos de prevenir a gravidez.

Contra vem do latim e tem o mesmo significado em português. *Cepção* é parte da palavra *concepção*, que quer dizer *início*. *Contracepção* significa *contra o início da gravidez*.

Há muitos tipos de contraceptivos, ou anticoncepcionais, e alguns funcionam melhor que os outros. A pessoa precisa aprender a usá-los e deve usá-los sempre que tiver relação sexual, de modo que funcionem. Porém, nenhum contraceptivo tem 100% de garantia de funcionar todas as vezes.

A maioria dos contraceptivos pode ser conseguida de graça com o médico da família ou num posto de atendimento à saúde da mulher. Você pode conversar com um médico ou um profissional da saúde sobre qualquer contraceptivo, e a conversa será confidencial. Alguns contraceptivos, como preservativos, espermicidas e esponjas, podem também ser comprados em uma farmácia. Eles geralmente são exibidos numa seção especial ou bem na frente da caixa registradora e são vendidos sem restrição.

O preservativo é uma capa muita fina e macia que se ajusta sobre o pênis ereto. Quando o homem ejacula, o sêmen fica dentro do preservativo e os espermatozóides não conseguem encontrar o óvulo e unir-se com ele. Se o preservativo não for usado da maneira correta, o sêmen pode às vezes vazar. O preservativo funciona melhor na prevenção da gravidez quando é usado com espuma, creme ou gel especiais — chamados espermicidas —, que contêm uma substância química capaz de matar

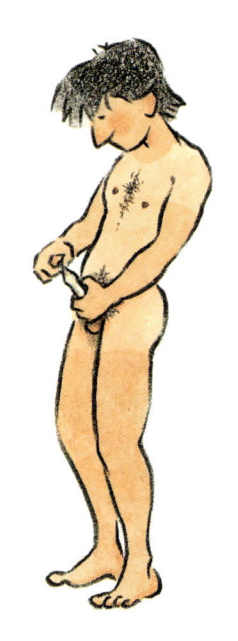

Colocando a camisinha

espermatozóides. O uso de preservativo durante o ato sexual, *corretamente e todas as vezes*, também ajuda a prevenir a transmissão de infecções — de infecções leves a infecções que põem a vida em perigo, como por HIV e hepatite B. Esse é um jeito de praticar sexo seguro. É importante compreender que qualquer tipo de contraceptivo, quando usado sozinho — *sem* preservativo —, *não consegue* evitar que a pessoa pegue ou passe uma infecção.

Algumas pessoas chamam os preservativos de "camisinha" ou "camisa-de-vênus" ou "condom". Um novo tipo de preservativo masculino, feito de um material resistente, fino e elástico chamado poliuretano, é tido pelos cientistas como mais forte que o látex.

É importante usar preservativos de

Então a camisinha é uma capa.

Mas não capa de chuva.

látex ou de poliuretano, porque eles têm menor possibilidade de vazar ou romper do que os de outros tipos.

Um preservativo projetado para se adaptar ao interior da vagina, chamado de preservativo feminino, também é feito de poliuretano. Esse preservativo macio, que lembra um saco, é introduzido na vagina antes da relação sexual.

A substância química do espermicida — em espuma, creme e gel — e das esponjas matam os espermatozóides, mas as esponjas podem absorver e impedir a passagem dos espermatozóides. Esses tipos de contraceptivos são colocados na vagina antes da relação sexual. Os espermicidas e as esponjas devem ser usados juntamente com as camisinhas. Se usados sozinhos, eles não conseguem matar ou capturar todos os espermatozóides ou proteger a pessoa contra o contágio ou a transmissão de uma infecção. É importante *não* utilizar *nenhum* lubrificante à base de óleo, como vaselina e óleo para o corpo, porque esses óleos podem danificar e romper a camisinha.

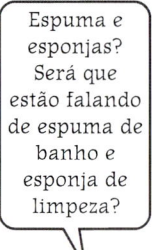

Preservativo

Preservativo feminino

Espermicida

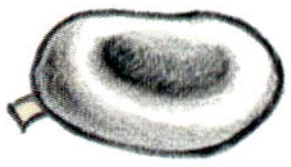

Esponja

Pílulas anticoncepcionais

Implante de Norplant

Depo-Provera

Diafragma

Capuz cervical

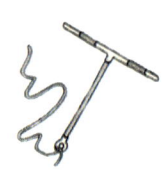

Dispositivo intra-uterino

> Espuma e esponjas? Será que estão falando de espuma de banho e esponja de limpeza?

> Não! Essas não são do tipo que se usa ao barbear, que vem no *milk-shake* ou com que se limpa a banheira! É claro que não!

As pílulas anticoncepcionais, o implante de Norplant, o diafragma, o capuz cervical, o DIU e o Depo-Provera são contraceptivos que a mulher só pode utilizar depois de consultar o médico ou um posto de atendimento. Com receita, o contraceptivo pode ser comprado em locais especializados.

As pílulas anticoncepcionais, também chamadas de "a pílula", contêm hormônios sintéticos que inibem a liberação de óvulos pelos ovários. As mulheres precisam lembrar de seguir a bula tomando uma pílula por dia para que este método de controle da natalidade tenha efeito.

O implante de Norplant é um dispositivo contraceptivo que o médico coloca sob a pele do braço da mulher. Seus seis bastões minúsculos soltam um hormônio sintético que impede os ovários de liberar óvulos e os espermatozóides de atravessar o colo do útero por até cinco anos.

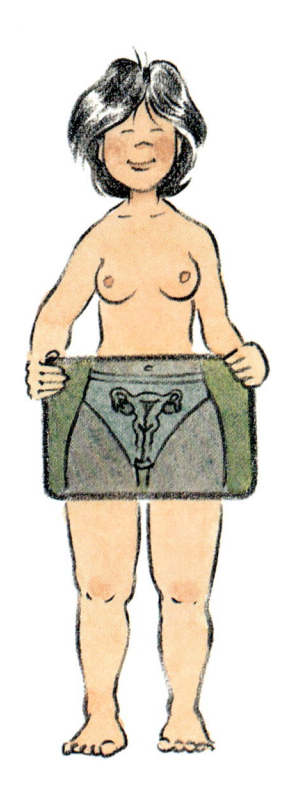

O Depo-Provera, também chamado de "a injeção", é uma droga contraceptiva que normalmente é injetada a cada três meses nas nádegas da mulher ou às vezes no braço. Ela faz os ovários pararem de liberar óvulos.

O diafragma e o capuz cervical são pequenas taças de látex que se encaixam dentro da vagina e são colocados sobre o colo do útero antes da relação sexual. Ambos impedem os espermatozóides de entrar no colo e ambos devem ser usados com um espermicida.

O DIU, ou dispositivo intra-uterino, é um pequeno dispositivo de plástico e cobre que é colocado por um médico dentro do útero e impede que os espermatozóides se unam ao óvulo.

Se a pessoa decidir manter relações sexuais, a proteção mais eficaz contra a gravidez ou uma infecção é o uso correto do contraceptivo.

Se houver uma emergência e a mulher, por qualquer razão, tiver mantido relação sexual sem se proteger, ou se ela tiver sido estuprada — forçada a fazer sexo contra sua vontade —, há uma pílula, chamada de pílula anticoncepcional de emergência, que ela pode tomar para evitar o início da gravidez. Ela contém hormônios feitos para impedir a fecundação ou a fixação do óvulo no útero. Esse método deve ser realizado em até 72 horas depois do ato sexual, sob a supervisão de

O lugar de cada um

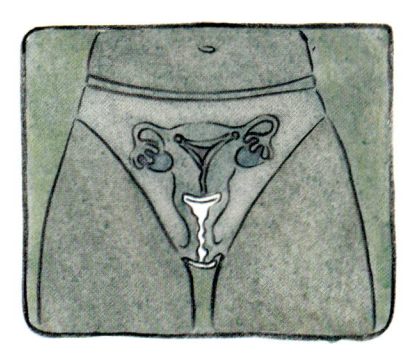

Preservativo feminino

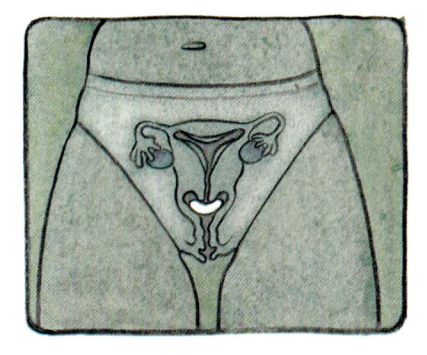

Esponja

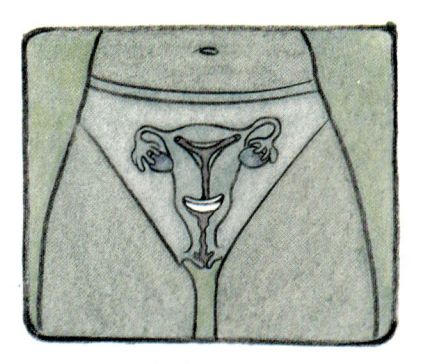

Diafragma

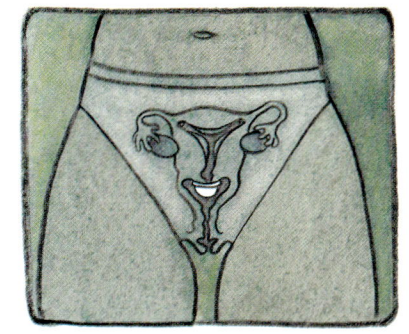

Capuz cervical

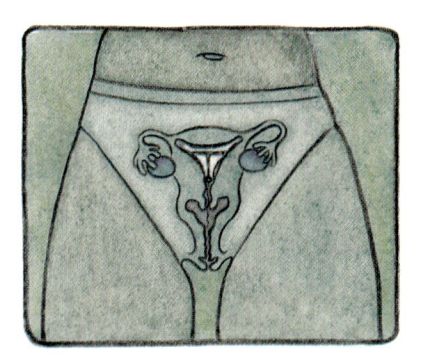

DIU

Decisões 71

um médico. Não se deve contar com esse método como uma forma normal de contracepção.

O DIU também pode evitar que o óvulo fecundado se fixe no útero e impedir o início da gravidez.

Alguns métodos contraceptivos, como o planejamento familiar natural (ou "a tabela") ou o coito interrompido, não utilizam dispositivos anticoncepcionais.

Quando um casal utiliza o planejamento natural, ele tenta seguir a data em que os ovários da mulher liberaram um óvulo e se abstém de relações sexuais nesse período. Mas é muito difícil saber quando um óvulo desceu, porque o momento pode variar de mês para mês — *especialmente* com garotas adolescentes. Deve-se sempre lembrar que para a tabela funcionar é necessária uma orientação muito boa e uma utilização *extremamente* precisa e cuidadosa — *especialmente* por adolescentes.

Quando o casal usa o método do coito interrompido, o homem tira o pênis da vagina da mulher antes de ejacular. Esse método *não* funciona muito bem porque um pouco de sêmen pode escorrer antes da ejaculação ou porque o homem pode não conseguir retirar o pênis antes de ejacular.

Às vezes, quando as pessoas resolvem não ter mais filhos, elas podem decidir fazer uma operação simples chamada esterilização.

Quando o homem faz essa operação — chamada vasectomia —, um pedacinho dos canais deferentes é retirado ou eles são amarrados por um médico. Como resultado, o sêmen que é ejaculado não leva mais nenhum espermatozóide.

Quando a mulher faz essa operação — chamada esterilização —, um pedacinho de cada trompa de Falópio é retirado, cortado, amarrado ou bloqueado por um médico, de modo que o óvulo não consegue chegar ao útero e os espermatozóides não conseguem chegar ao óvulo.

Algumas pessoas pensam que o uso de qualquer método contraceptivo é errado. Algumas acham que usar o planejamento natural ou o coito interrompido é correto, mas usar contraceptivos receitados ou comprados é errado. Outras pessoas ainda acham que a contracepção é uma maneira eficaz e responsável de evitar uma gravidez indesejada ou retardar a vinda de um bebê. Essas pessoas usam os contraceptivos para ajudá-las a planejar a família.

Os pais ou um médico da família são pessoas indicadas para conversar a respeito do adiamento, da abstinência e da contracepção. Os postos de atendimento e as clínicas especiais para jovens são também bons lugares para obter informações.

24
Leis e Decretos
Aborto

Um aborto é um procedimento médico feito com a intenção de terminar a gravidez. Algumas mulheres grávidas decidem fazer aborto. Os sentimentos que as pessoas têm sobre fazer um aborto, porém, não são simples, e podem variar do alívio à tristeza, da preocupação ao medo.

> Já ouvi falar de aborto.

> O que eu sei é que um monte de gente fala disso, especialmente no rádio e na TV.

A palavra *abortar* significa *suspender* ou *dar fim a alguma coisa numa etapa inicial*. O aborto é realizado numa clínica ou num hospital por um médico e é uma intervenção segura quando feita no início. A gravidez é encerrada com a remoção do embrião ou do feto de dentro do útero. O procedimento leva cerca de cinco minutos e é geralmente realizado durante os primeiros três meses de gravidez.

Há pílulas que contêm drogas que podem dar fim à gravidez e são usadas como outro método de abortar. Elas podem ser tomadas pela mulher grávida durante as primeiras semanas de gravidez e exigem acompanhamento e consultas médicas. Elas forçam o revestimento uterino e o embrião a sair do útero.

Há muitas razões pelas quais uma mulher ou um casal talvez decidam encerrar a gravidez:

- A mulher tem uma moléstia ou uma doença hereditária que tornam a gravidez ou o parto perigosos para sua saúde e podem até provocar sua morte.
- Um exame mostra que o feto é portador de grave doença hereditária ou grave deficiência.
- A mãe ou o pai é doente e está impossibilitado de cuidar do bebê.
- Os pais não têm dinheiro suficiente para cuidar direito do bebê, ou já têm filhos e não podem arcar com outro filho.
- Os pais acham que são muito jovens para cuidar do bebê de um modo responsável.
- A mulher sente que não estava pronta para engravidar.
- A mulher foi forçada a manter relações sexuais contra sua vontade — foi estuprada — e ficou grávida.
- A mulher é solteira e sente que não é capaz de criar um filho sozinha.
- A mulher não queria ficar grávida.

As pessoas têm uma opinião firme sobre se a mulher tem ou não o direito de decidir fazer um aborto. Em alguns países, o aborto é um direito de mulheres e garotas; em outros, o aborto é um direito, mas não um direito legal; e em outros, o direito ao aborto ou é restringido ou é proibido.

As leis sobre o aborto variam de lugar para lugar dentro de um país e de um país para outro. No Brasil o aborto é legal só em caso de estupro. Na República da Irlanda, o aborto é ilegal. Nos Estados Unidos e na Austrália o aborto é legal, mas as situações em que a mulher pode fazê-lo variam de estado para estado.

No Reino Unido há leis que regulamentam as situações nas quais

Decisões

uma mulher pode decidir fazer um aborto. Em 1967, o Parlamento aprovou uma lei chamada Ato do Aborto. A lei tornou o aborto legal no Reino Unido e dá aos médicos o direito de fazer um aborto em certas situações:

- Se a continuidade da gravidez puser em risco a vida da mulher.
- Se a continuidade da gravidez prejudicar o estado físico e psicológico da mulher.
- Se a continuidade da gravidez prejudicar o estado físico e psicológico de qualquer filho que a mulher já tenha.
- Se houver um risco considerável de o feto nascer com uma grave deficiência.

Esse ato legislativo não dá automaticamente à mulher o direito de encerrar a gravidez. Se decidir fazer um aborto, ela deve falar com dois médicos. Os dois devem concordar em que ela deve fazê-lo, de acordo com as condições impostas pelo Ato do Aborto. Os médicos podem também levar em consideração as condições de vida da mulher: sua moradia, sua renda e qualquer tipo de auxílio que ela necessite para criar o bebê. Se os dois médicos estiverem de acordo e a mulher decidir terminar a gravidez, o aborto deverá então ser feito por um médico do National Health Hospital ou por uma clínica autorizada pelo Ministério da Saúde.

As leis sobre o direito da mulher ao aborto têm mudado com o passar do tempo e devem continuar a mudar. Os cientistas descobriram recentemente que um bebê nascido com apenas seis meses pode sobreviver fora da barriga. Essa descoberta levou a uma mudança no Ato do Aborto de 1967. Em 1990 ele foi revisto pelo Parlamento e um novo ato — o Ato de Fertilização e Embriologia Humana de 1990 — determinou que o aborto pode ser realizado até o sexto mês de gravidez. A maioria dos abortos no Reino Unido é realizada aos três meses de gravidez.

Se uma mulher grávida com menos de dezesseis anos de idade quiser fazer um aborto, na maioria dos casos ela deve ter autorização de um dos pais ou responsável antes que ele possa ser feito.

As pessoas têm opiniões muito firmes a respeito das leis sobre aborto. Aquelas que as aprovam entendem que a mulher tem o direito de fazer um aborto. Muitas outras apóiam o direito da mulher de decidir por si mesma fazer ou não fazer um aborto. Elas entendem que se trata de uma decisão profundamente pessoal que deve ser tomada pela própria mulher, não pelo governo.

As pessoas contrárias a essas leis entendem que é errado permitir a uma mulher fazer aborto. Elas acham que a vida começa quando o bebê é concebido e que o feto tem o direito de crescer no corpo da mãe e nascer, mesmo que a mãe não queira ter o filho.

Pelo fato de as leis poderem mudar e mudarem e pelo fato de variarem de um lugar para outro,

> Opa, isso é sério.

> Leis são coisas complicadas e sérias.

talvez você queira perguntar a seus pais ou professores como são atualmente as leis do aborto no lugar em que você vive.

Às vezes, geralmente nos primeiros meses de gravidez, o aborto pode acontecer por si só, sem um procedimento médico. Isso se chama aborto espontâneo ou casual. Quando ele ocorre, o embrião ou o feto é expulso do útero sem aviso, freqüentemente porque não estava se desenvolvendo normalmente. Os médicos nem sempre sabem explicar por que um aborto espontâneo acontece, mas sabem que as mulheres que tiveram um aborto espontâneo podem geralmente engravidar de novo e dar à luz bebês sadios. A mesma coisa é válida para mulheres que decidiram fazer um aborto.

Parte 6
Mantendo a Saúde

25
Denuncie
Abuso Sexual

Infelizmente, o comportamento sexual de algumas pessoas pode ser perigoso e pode até ferir outras pessoas. Esse comportamento é chamado de abuso sexual.

Nós temos de escutar isso sobre abuso sexual?

Acho que devemos.

O abuso sexual é um assunto sobre o qual crianças e adultos acham muito difícil e muito doloroso pensar e falar. Geralmente se ouve um monte de coisas equivocadas e confusas sobre ele.

Apesar de muitas crianças provavelmente terem ouvido falar em *abuso sexual*, isso não quer dizer que elas saibam exatamente o que essas palavras significam. *Abuso* significa *tratar mal, maltratar*. *Sexual* significa *alguma coisa que está relacionada com sexo*.

O abuso sexual ocorre quando alguém maltrata uma pessoa de um modo sexual. Ocorre quando alguém que é mais poderoso se aproveita de outra pessoa de um modo sexual. É errado tirar vantagem de outra pessoa só porque se é mais poderoso.

A maioria de nós — crianças e adultos — aprendeu normas de como tratar os outros com respeito. O abuso sexual acontece quando alguém descumpre as normas que se referem ao corpo de outra pessoa.

Ele acontece quando alguém toca ou faz alguma coisa às partes íntimas — as partes sexuais — do corpo de outra pessoa que essa outra pessoa não quer que seja feita, ou quando alguém faz outra pessoa tocar suas partes íntimas ou fazer alguma coisa com elas e que essa pessoa não quer fazer.

Esse outro pode ser alguém que a pessoa conheça, alguém que a pessoa ame, ou um estranho. A verdade é que é mais provável que seja alguém que a pessoa conheça. O abuso sexual pode ocorrer entre crianças e adultos, até entre um pai ou mãe e um filho ou filha. Pode também ocorrer entre uma criança e outra criança e entre irmãos e irmãs. Pode ocorrer tanto com garotos como com garotas.

Os abraços, beijos, afagos e mãos dadas que são comuns no dia-a-dia, que acontecem entre membros de uma família e entre bons amigos porque eles se gostam, não são abuso sexual. O exame do corpo de uma pessoa feito por um médico ou

Mantendo a Saúde 75

uma enfermeira também não é abuso sexual. Todo mundo precisa fazer um exame médico periódico para se manter saudável.

O abuso sexual pode ser doloroso ou até machucar bastante. Mas nem todo abuso sexual machuca; na verdade, uma pessoa pode sofrer abuso de uma maneira que parece amorosa e delicada. Quando isso acontece, a pessoa pode ficar muito confusa, porque é quase impossível compreender como uma coisa tão errada pode soar tão delicada e amorosa.

O abuso sexual é sempre errado, não importa se ele machuca ou não, ou se parece delicado ou mesmo amoroso. As pessoas, principalmente os adultos, sabem que é errado. Não é culpa sua se acontecer com você. Mesmo que as crianças não conheçam as normas, os adultos as conhecem, ou deveriam conhecê-las.

É sempre importante lembrar que o seu corpo pertence a você. É também importante saber que há muita gente por aí que se importa com as crianças e quer que fiquem em segurança.

Se alguém tentar fazer alguma coisa com seu corpo que você não queira que seja feita ou ache que não deva ser feita, diga "Não!" ou "Pare com isso!" ou "Sai!" à pessoa que está abusando de você.

Alguns de vocês já devem ter ouvido a palavra *importunar*. *Importunar* significa *desagradar* ou *incomodar*. Se alguém o importunar — ou seja, incomodá-lo — falando de sexo, usando palavras grosseiras ou palavrões sobre sexo quando você não quer que façam isso, ou falando do seu corpo de um jeito de que você não gosta, diga a essa pessoa: "Pare!" Mesmo que essa pessoa não esteja tocando em seu corpo, falando de sexo ou de seu corpo dessa maneira, pode se tratar de abuso sexual.

É legal ter alguns segredos com um amigo fiel. Mas não faça o abuso sexual ser um segredo se acontecer com você ou com um amigo — mesmo que alguém lhe peça para manter segredo.

Conte para outra pessoa que você conheça e em quem confie — sem demora!

Se a primeira pessoa para quem você contar não se interessar, conte para outra. Fale sobre isso até que você encontre alguém que o ouça e acredite em você. Essa pessoa vai ajudá-lo.

Lembre-se sempre: se alguém abusar de você, NUNCA é culpa sua!

E você, também, nunca deve abusar de ninguém de forma alguma. Não é correto. Você não tem esse

> É assustador e arrepiante ouvir falar de abuso sexual.

> Sim, é. Mas eu me sinto melhor só de falar nisso.

direito. Quando alguém diz não para você, você deve ouvir essa pessoa e aceitar a vontade dela.

A maioria das pessoas não gosta de falar sobre abuso sexual, mas mais pessoas falam mais sobre isso hoje do que antigamente. Pode-se conversar sobre isso com um dos pais, um amigo, um professor ou um religioso. Muito freqüentemente ajuda falar com um professor, um assistente social, um médico ou uma enfermeira — pessoas formadas especialmente para ajudar. Quando uma pessoa que sofreu abuso sexual consegue falar sobre isso com alguém em quem confia, ela até pode passar a se sentir melhor.

26
Exame Médico
Doenças Sexualmente Transmissíveis

O sexo geralmente é uma parte saudável, natural e perfeitamente normal da vida. Porém, às vezes a atividade sexual pode trazer doenças.

As doenças sexualmente transmissíveis — chamadas às vezes pela abreviatura DST — são doenças, infecções ou moléstias que podem passar de uma pessoa para outra pelo contato sexual, pelas carícias sexuais e pelo ato sexual. Outro termo para as DSTs é *doenças venéreas*.

Infecções e moléstias como resfriados e gripes são provocadas por micróbios tão pequenos que só podem ser vistos ao microscópio. Nem todos os micróbios causam doenças, mas alguns causam, como os vírus e as bactérias. Os micróbios podem ser transmitidos de uma pessoa para outra por diversos tipos de contato — como pelo espirro, pelo aperto de mão e pelo uso do mesmo copo, prato ou talher.

As DSTs são diferentes da maioria das outras infecções — diferentes das gripes e dos resfriados — porque são transmitidas por contato sexual. A maioria das pessoas não gosta de falar sobre DSTs.

Eu não gosto de ouvir falar de doença nenhuma.

Eu também não, mas é melhor ouvir.

Mantendo a Saúde

Há muitas DSTs. Algumas não são muito graves. Outras podem ser extremamente graves: podem fazer as pessoas serem incapazes de gerar um bebê e podem até provocar a morte. Porém, muitas têm cura, e há remédios e tratamentos para fazer a pessoa se sentir melhor caso ela tenha uma DST que não tem cura.

Os micróbios não são os únicos que causam uma DST na pessoa. Poucas DSTs, como o piolho-das-virilhas e a sarna (ou escabiose), são provocadas por insetos minúsculos.

O piolho-das-virilhas é uma DST bastante comum. Você já deve ter ouvido algumas pessoas se referirem a esse piolho como "chato". É porque o piolho-das-virilhas tem um formato achatado, além de chatear bastante. O piolho-das-virilhas gosta de viver em lugares mornos e peludos, como na região púbica, e é transmitido por contato sexual. Pode-se ficar curado dos piolhos-das-virilhas passando um remédio que os elimina. Esses piolhos são diferentes dos piolhos comuns da cabeça, porque os piolhos da cabeça não são transmitidos de uma pessoa para outra por contato sexual. Os piolhos da cabeça não são uma DST.

A sarna pode ser uma DST, mas não sempre. Ela é causada por insetos minúsculos chamados ácaros, que podem provocar coceiras graves na região ao redor dos genitais, assim como em outras partes do corpo, exceto no pescoço e na cabeça. A sarna pode ser tratada passando-se um medicamento na área afetada.

O contato sexual não é a única maneira de se pegar piolho ou sarna: o contato com lençóis, toalhas ou roupas infectadas também pode transmiti-los.

A sífilis, a gonorréia e a clamídia são três das DSTs causadas por bactéria. Elas normalmente podem ser curadas consultando um médico ou uma clínica para tomar o medicamento correto. No entanto, se essas DSTs não forem tratadas, a pessoa pode ficar muito doente e perder a visão ou a capacidade de ter filhos. A mãe que tenha uma dessas DSTs pode transmiti-la e prejudicar seu recém-nascido. A sífilis é uma DST extremamente perigosa e, se não for tratada, pode provocar a morte.

A hepatite B é uma DST causada por um vírus que infecciona o fígado. A hepatite B é muito contagiosa e pode ser transmitida por beijo, relação sexual ou agulhas e seringas infectadas. As pessoas que tomam drogas ilegais usando ou compartilhando agulhas e seringas infectadas correm um grande risco de pegar hepatite B. Se você for furar as orelhas ou fizer uma tatuagem, você deve se certificar de que será usada uma agulha nova e esterilizada. Não existe cura para a hepatite B, mas há uma vacina que pode proteger a pessoa de contrair o vírus. A maioria das pessoas que tem esse vírus fica bem, mas ele pode resultar em morte.

As verrugas genitais são outro tipo de DST provocado por um vírus. A verruga surge nos genitais da pessoa ou ao redor do ânus e pode coçar e doer demais. A remoção é o único tratamento, mas a verruga genital é muito contagiosa e pode reaparecer. Não há cura para essa DST. Se a verruga não for removida por um médico, ela tem a capacidade de se multiplicar rapidamente. A verruga genital pode aumentar o risco de a mulher ter câncer no colo do útero.

O vírus *Herpes simplex* provoca uma infecção que pode ser transmitida sexualmente, mas não sempre. Esse vírus é transmitido de uma pessoa a outra pelo contato da pele e é extremamente contagioso. Há dois tipos do vírus *Herpes simplex*. O Herpes 1 provoca o aparecimento de feridas parecidas com bolhas nos lábios, na boca, no nariz e nos olhos, ou perto deles. O Herpes 2, ou herpes genital, provoca o aparecimento de feridas parecidas com bolhas nos genitais e no ânus, ou perto deles. Não se descobriu uma cura para o vírus *Herpes simplex*, mas ambos os tipos podem ser tratados por um médico com remédios que fazem desaparecer as feridas e melhoram a sensação na região infectada. No entanto, as feridas podem voltar.

Principalmente os adultos e os adolescentes contraem DSTs. Se a pessoa costuma ter contato sexual, o uso de um preservativo de látex ou poliuretano — de modo correto e todas as vezes — pode ajudar a evitar que ela contraia ou transmita algumas dessas infecções. Essa é uma das maneiras de praticar sexo seguro. O sexo desprotegido é extremamente perigoso.

Nem todas as infecções são provocadas por contato sexual, mas, se uma pessoa sentir um desconforto ou dor em qualquer lugar dos órgãos genitais ou perto deles, é importante que ela conte a seus pais, à enfermeira da escola ou a algum adulto responsável, para que se possa marcar um exame médico. Se uma pessoa tiver uma doença sexualmente transmissível, ela não só se sentirá melhor procurando logo atendimento médico como também poderá estar salvando sua vida, além de impedir a transmissão da infecção para outra pessoa.

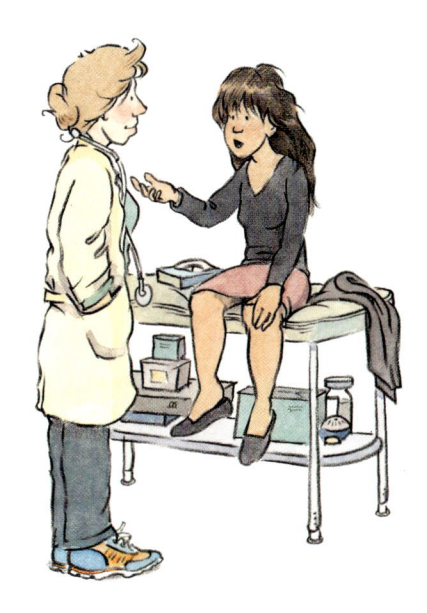

27
Cientistas que Trabalham Dia e Noite
HIV e AIDS

A infecção por HIV é a mais recente e a mais perigosa de todas as doenças sexualmente transmissíveis. HIV é o micróbio — um vírus — que provoca a AIDS.

HIV (uma sigla da língua inglesa) quer dizer *Vírus da Imunodeficiência Humana*. *Vírus* significa *um tipo de micróbio que pode fazer a pessoa ficar doente*. AIDS (também uma sigla da língua inglesa) quer dizer *Síndrome da Imunodeficiência Adquirida*. *Adquirida* é *alguma coisa que você pode contrair*. *Imunodeficiência* significa *incapacidade de se proteger contra uma infecção ou combatê-la*. *Síndrome* significa *um grupo de sintomas ou estados que podem acompanhar uma moléstia ou doença*, como uma febre ou perda de apetite.

Em resumo, quando as pessoas que foram infectadas pelo HIV desenvolvem a AIDS e ficam doentes, o corpo delas não tem mais condições de se defender das infecções e combatê-las. Hoje em dia, os cientistas e os médicos acreditam que a maioria das pessoas que estão infectadas pelo HIV acabarão por apresentar os sintomas e os estados da AIDS, como tosse, febre, perda de peso, inchaço das glândulas, diarréia e incapacidade de pensar ou enxergar direito.

Uma pessoa que tenha infecção por HIV pode não ficar doente por um longo tempo, mas a maioria das pessoas que desenvolvem a AIDS acabará morrendo de um ou mais de seus sintomas ou estados. Hoje em dia não há cura para a AIDS, embora existam alguns medicamentos e tratamentos que podem diminuir a atividade do vírus.

A AIDS me dá medo!

A AIDS é realmente assustadora!

Qualquer um pode pegar infecção por HIV — jovem ou velho, homem ou mulher, rico ou pobre, heterossexual ou homossexual, famoso ou desconhecido, fraco ou forte. Qualquer pessoa de qualquer raça ou de qualquer religião pode ser infectada pelo HIV e desenvolver a AIDS. A infecção por HIV não tem relação alguma com quem você é; pode ter muito a ver com o que você faz.

Um exame de sangue feito por um médico indica se a pessoa foi infectada pelo HIV. Se uma pessoa tem o vírus, ela pode continuar saudável, até mesmo aparentar saúde e levar uma vida ativa por muitos anos. Sem o exame de sangue, é difícil saber se o vírus está no corpo da pessoa. A expressão *HIV-positivo* significa que a pessoa tem infecção por HIV no corpo.

Como se pega HIV?

Como não se pega HIV?

Coisas que *não* passam infecção por HIV

- Você não contrai o HIV brincando de pegador, de luta, abraçando, apertando a mão, dançando ou cumprimentando com um beijo uma pessoa que tenha o HIV. 
- Você não contrai o HIV na comida, no prato, no pente, na escova, na maçaneta ou na tampa do vaso sanitário que tenham sido tocados por uma pessoa com o HIV.
- Você não contrai o HIV do mesmo modo que se pega uma gripe, porque o micróbio ou vírus não se desloca pelo ar. Isso quer dizer que você não contrai o HIV por uma tosse ou um espirro.
- Você não contrai o HIV pela picada de um mosquito.
- Você não contrai o HIV por estar na mesma sala que uma pessoa que tem o HIV. Isso quer dizer que você não contrai o HIV só por freqüentar uma escola junto com quem tenha o HIV.
- Você não contrai o HIV visitando alguém que tenha o HIV, em casa ou no hospital.

Vamos Falar Sobre Sexo

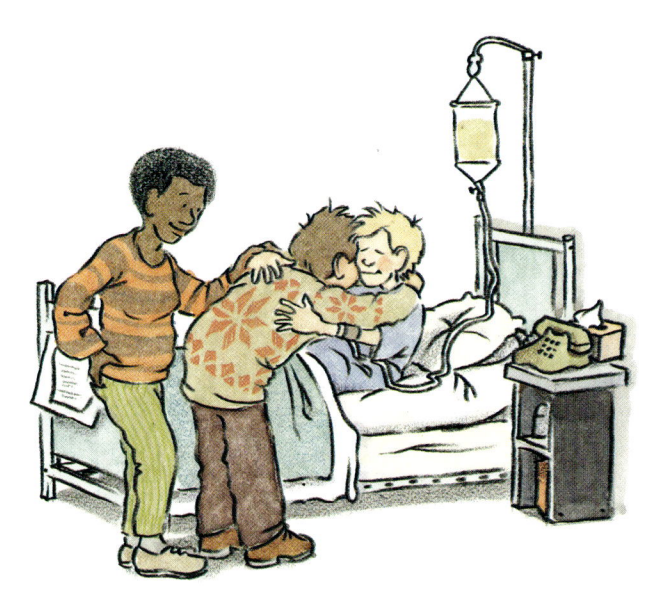

- Você não contrai o HIV nadando na mesma piscina que uma pessoa que tenha o HIV.
- Você não contrai o HIV doando sangue.

Eu gosto de ouvir sobre as coisas que não passam o HIV.

Eu também. Mas fico me perguntando como se pode pegar o HIV.

Coisas que *podem* passar infecção por HIV

- Você pode contrair o HIV tanto pelo sêmen do pênis de um homem quanto pelos fluidos da vagina de uma mulher que tenham o vírus. Esses fluidos do corpo transportam o HIV. Isso quer dizer que você pode contrair o HIV tendo relação sexual com uma pessoa que esteja infectada pelo vírus, mesmo que essa pessoa pareça ser saudável.
- Isso também quer dizer que, se uma pessoa fizer sexo que tenha a participação do pênis e da vagina, ou do pênis e do ânus, ou da boca e dos genitais de uma pessoa que tenha o HIV e não se proteger corretamente, existe um risco real de ser infectado pelo HIV.

   Se a pessoa fizer sexo usando um preservativo de látex ou poliuretano com um lubrificante à base de água, de modo correto e todas as vezes, ela estará protegida contra o HIV. O sexo desprotegido é extremamente perigoso.
- Você pode contrair o HIV pelo sangue de uma pessoa que tenha o vírus. Isso quer dizer que você pode contraí-lo se o sangue de uma pessoa infectada com o HIV entrar na sua circulação sangüínea. No entanto, todo sangue doado para crianças, adolescentes, bebês e adultos que precisem de sangue em um hospital ou em casa é examinado antes de ser dado a eles, para se ter certeza de que ele não tem o HIV.
- Você pode contrair o HIV se tomar drogas e usar uma agulha e uma seringa que tenham sido usadas por uma pessoa que tenha o HIV. As pessoas que tomam drogas ilegais usando agulhas e seringas infectadas ou compartilhando agulhas correm um grande risco de contrair o HIV.

   No entanto, toda vez que seu médico ou uma enfermeira lhe der uma injeção, serão usadas uma seringa e uma agulha novas, descartáveis, limpas e esterilizadas, que depois serão jogadas no lixo. Você não contrai o HIV de agulhas e seringas novas e esterilizadas. Se você furar as orelhas ou fizer uma tatuagem, você deve se certificar de que a agulha utilizada é nova, esterilizada e descartável.

As pessoas devem ter cuidado.

Claro que devem.

- Uma mulher que esteja infectada com o HIV e tenha o vírus quando engravidar pode transmiti-lo ao

Mantendo a Saúde 81

seu bebê enquanto ele estiver no útero ou durante o parto. É por isso que alguns bebês nascem infectados pelo vírus. E algumas mães que estejam infectadas com o vírus podem transmiti-lo ao seu bebê pelo leite de seus seios.

Isso tudo é muito triste.

E assustador.

Felizmente os cientistas e os médicos têm descoberto maneiras de as pessoas se protegerem contra a infecção por HIV e de diminuírem suas chances de desenvolver a AIDS. Uma maneira é abster-se de manter relações sexuais. Isso se chama abstinência e é a única maneira completamente segura de se proteger contra a infecção por HIV por relação sexual.

Se a pessoa decidir manter relações sexuais, o uso de um preservativo de látex ou de poliuretano — com um lubrificante à base de água — pode diminuir suas chances de contrair uma infecção por HIV. Você já deve ter ouvido a expressão "sexo seguro". O uso de preservativo de látex ou de poliuretano, corretamente e todas as vezes, é uma maneira de as pessoas praticarem o sexo seguro.

Não compartilhar agulhas é outra maneira de afastar a possibilidade de contrair infecção por HIV.

Cientistas de todo o mundo estão trabalhando dia e noite em laboratórios para tentar fazer uma vacina que proteja as pessoas contra a infecção por HIV, se ela tiver contato com o vírus. Da mesma forma que existem vacinas para proteger as pessoas contra o sarampo, a cachumba e a poliomielite, uma vacina contra HIV poderia evitar que as pessoas fossem infectadas pelo HIV e desenvolvessem a AIDS.

Os cientistas também estão trabalhando na criação de comprimidos, injeções e outras formas de tratamento que, esperam eles, ajudará as pessoas que já têm o vírus da AIDS a levar uma vida mais longa e saudável. Eles esperam que tais tratamentos também venham a manter o vírus quieto, de modo que ele não seja capaz de prejudicar a pessoa, ou venham a eliminar completamente o vírus do corpo da pessoa.

Porém, mesmo sem uma vacina ou um tratamento, as pessoas podem ajudar a si mesmas na proteção contra a infecção por HIV informando-se sobre como o vírus é transmitido de uma pessoa para outra.

Muitas pessoas que são HIV-positivas, ou *soropositivas*, ou que desenvolveram AIDS são capazes de

82 Vamos Falar Sobre Sexo

ir ao trabalho ou à escola e prosseguem a maioria de suas atividades por alguns anos, até que o vírus as deixa doentes demais.

Mesmo assim as pessoas — crianças, adolescentes e adultos — que são HIV-positivas ou desenvolveram a AIDS têm sido discriminadas. Algumas crianças, junto com suas famílias, têm sido forçadas a se mudar de bairro ou de cidade para poder ir à escola, e alguns adultos perderam o emprego ou foram forçados a se mudar — só porque são HIV-positivos ou desenvolveram a AIDS.

Ter infecção por HIV, assim como desenvolver a AIDS, é triste e doloroso em muitos aspectos. Portanto, se você conhece alguém que seja HIV-positivo ou tenha desenvolvido a AIDS, trate essa pessoa com afeto. Cumprimente-a com um aperto de mão, diga oi, abrace-a, converse com ela, ria ou até chore com ela, trabalhe e brinque com ela — todas essas coisas são seguras — e trate essa pessoa como você faria com qualquer bom amigo.

28
Mantendo a Saúde
Decisões Responsáveis

O aprendizado de como se cuidar de uma maneira saudável ocupa uma grande parte do seu crescimento.

Agora eu sou um perito em crescimento. Sei muita coisa!

Eu sei o suficiente.

Comer comidas saudáveis, exercitar-se quase todo dia, manter seu corpo limpo, vestir roupas limpas, afastar-se das drogas e do álcool e fazer exames médicos periódicos — todas essas coisas podem ajudá-lo a ser saudável e continuar saudável enquanto você atravessa a puberdade.

Mas continuar saudável envolve mais coisas do que simplesmente cuidar bem do seu corpo. Significa também assumir responsabilidade por suas próprias atitudes — com você e com o que você faz. Significa tomar decisões sadias para você, inclusive decisões sobre o seu corpo e sobre sexo. E significa ter respeito por você e pelas suas decisões.

Ser saudável também implica ter relacionamentos sadios com outras pessoas. Isso quer dizer cuidar bem não só de você, mas também tratar bem seus amigos, tanto garotos quanto garotas. Ter um bom amigo ou bons amigos durante o seu amadurecimento pode ajudá-lo a aprender a ter relacionamentos sadios com outras pessoas, que envolvam a troca, o carinho e o respeito aos outros, assim como a você.

Durante toda a sua vida, a amizade faz parte de todo relacionamento sadio — se duas pessoas se gostam ou se amam, se elas decidem ser amigas, namorar, ser companheiras ou se casar.

A puberdade é ainda a época em que amigos, mesmo os bons amigos, freqüentemente tentam convencer ou pressionar o outro a experimentar coisas novas. Algumas dessas coisas envolvem sexo, álcool ou drogas; podem ser coisas que você não queira fazer, não esteja pronto para fazer, tenha medo de fazer ou sinta que não é seguro fazer. É aí que é importante tomar a decisão que seja melhor para você — aquela que seja segura e saudável.

Todo mundo comete erros ou faz julgamentos errados uma vez ou outra, e com você talvez aconteça o mesmo. Porém, na maior parte das vezes você terá oportunidade de fazer, e fará, escolhas responsáveis — aquelas que sejam boas para você, corretas para você e sadias para você e seus amigos.

Normal ou grosseiro?

Você acha que é normal ou você ainda acha que é grosseria falar e pensar sobre o corpo e sexo?

Acho que é normal... e grosseria você ter me perguntado isso.

Acha mesmo?

Só brincadeira.

Escuta esta! Se não existissem corpos nem sexo, não haveria raça humana!

Escuta esta! A maioria das crianças pensa sobre corpo e sexo... e muitos jovens falam e até fazem piada disso.

E os adultos também.

Bem, é verdade que escritores escrevem sobre isso e pintores pintam isso e cientistas estudam isso e cantores cantam sobre isso.

E a TV e o rádio e vídeos e filmes falam disso. E livros e revistas e anúncios e comerciais...

Chega!

Pensar sobre o corpo e sexo e querer conhecer o corpo e o sexo...

...e até falar sobre isso...

...é perfeitamente normal!

Finalmente concordamos em alguma coisa!

É mesmo?

Mantendo a Saúde

Obrigado!

Não teríamos conseguido escrever e ilustrar este livro sem a ajuda dos seguintes amigos e colegas, antigos e novos. Alguns deles leram todo o manuscrito; outros leram só um capítulo. Alguns leram o manuscrito uma vez, outros o leram inúmeras vezes. Muitos ajudaram nos desenhos. Todos tiveram alguma coisa para dizer sobre este livro, e todos responderam qualquer dúvida que tínhamos, geralmente mais de uma vez. Cada pessoa relacionada aqui se interessa profundamente pela saúde e pelo bem-estar das crianças e tem enorme respeito por elas. RHH e ME

Deb Allen, coordenadora e professora de Ciência em escola primária, The Devotion School, Brookline, Massachusetts

Tina Alu, coordenadora de Educação Sexual, Cambridge Family Planning, Cambridge, Massachusetts

Joanne Amico, educadora de Saúde, Pierce School, Brookline, Massachusetts

Bonnie S. Anderson, Ph.D., professora de História, Brooklin College, Brooklin, Nova York

Fran Basch, orientador profissional, Planned Parenthood League of Massachusetts, Cambridge, Massachusetts

Toni Belfield, chefe de Informação e Pesquisa, The Family Planning Association, Londres, Inglaterra

Merton Bernfield, Doutor em Medicina, professor de Pediatria na Clement A. Smith, diretor, Programa Conjunto de Neonatologia, Children's Hospital, Boston, Massachusetts

Sarah Birss, Doutora em Medicina, psiquiatra infantil, pediatra do desenvolvimento, Cambridge, Massachusetts

Larry Boggess, administrador escolar, escritor, Richmond, Indiana

Alice Miller Bregman, editora sênior, Nova York, Nova York

Rosa Casamassima, consultora, Medford, Massachusetts

Deborah Chamberlain, mãe, Norwood, Massachusetts

David S. Chapin, Doutor em Medicina, diretor de Ginecologia, Beth Israel Hospital, Boston, Massachusetts

Chuck Collins, pai, San Francisco, Califórnia

Edward J. Collins, Doutor em Medicina, professor assistente de Clínica, Universidade da Califórnia em San Francisco, Califórnia

Julia Collins, estudante, San Francisco, Califórnia

Paula Collins, mãe, San Francisco, Califórnia

Sara Collins, estudante, San Francisco, Califórnia

Sally Crissman, educadora de Ciência, Shady Hill School, Cambridge, Massachusetts

Mollianne Cunniff, educador de Saúde, Brookline Public Schools, Brookline, Massachusetts

Kirsten Dahl, Ph.D., professor adjunto, Centro de Estudos da Criança da Universidade de Yale, New Haven, Connecticut

Mary Dominguez, professora de Ciência, Shady Hill School, Cambridge, Massachusetts

Catherine Danagher, mãe, Brookline, Massachusetts

Sheila Donelan, professora, atendente clínica, Fitzgerald School, Cambridge, Massachusetts

Sandra Downes, professor, Amos E. Lawrence School, Brookline, Massachusetts

Nancy Drooker, consultor de Educação Sexual, San Francisco, Califórnia

Ann Furedi, diretora assistente, The Birth Control Trust, Londres, Inglaterra

Nicki Nichols Gamble, diretora executiva, Planned Parenthood League of Massachusetts

Frida Garcia, presidente, United South End Settlements, Boston, Massachusetts

Judith Gardner, Ph.D., psicóloga, Universidade Brandeis, Waltham, Massachusetts

Trudy Goodman, Mestre em Educação, terapeuta infantil e familiar, Cambridge, Massachusetts

Ben Harris, estudante, Cambridge, Massachusetts

Bill Harris, pai, Cambridge, Massachusetts

David Harris, estudante, Cambridge, Massachusetts

William Haseltine, Ph.D., chefe, Divisão de Retrovirologia Humana, Faculdade de Medicina de Harvard, Dana Farber Cancer Institute, Boston, Massachusetts

Gerald Hass, Doutor em Medicina, pediatra, Cambridge, Massachusetts; clínico-chefe, South End Community Health Center, Boston, Massachusetts

M. Peter Heilbrun, Doutor em Medicina, chefe, Departamento de Neurocirurgia, Universidade de Utah, Salt Lake City, Utah

Robyn O. Heilbrun, pai, Salt Lake City, Utah

Doris B. Held, Mestre em Educação, psicoterapeuta, Faculdade de Medicina de Harvard, membro da Governor's Commission on Gay and Lesbian Youth for the Commonwealth of Massachusetts, Cambridge, Massachusetts

Michael Iskowitz, consultor jurídico-chefe de pobreza, AIDS e política familiar, Comissão de Trabalho e Recursos Humanos do Senado dos EUA, Washington, D.C.

Chris Jagmin, desenhista, Watertown, Massachusetts

Larry Kessler, diretor executivo, AIDS Action Committee of Massachusetts, Boston, Massachusetts, delegado, Comissão Nacional de AIDS dos EUA, Washington, D.C.

Robert A. King, Doutor em Medicina, professor assistente de Psiquiatria Infantil, Centro de Estudos da Criança da Universidade de Yale, New Haven, Connecticut

Antoinette E. M. Leoney, Esq., mãe, Salem, Massachusetts

Elizabeth A. Levy, autora de livros infantis, Nova York, Nova York

Jay Levy, Doutor em Medicina, professor de Medicina, Cancer Research Institute, Faculdade de Medicina da Universidade da Califórnia em San Francisco, Califórnia

Leroy Lewis, professor, Martin Luther King School, Cambridge, Massachusetts

Carol Lynch, diretora de consultoria jurídica, Planned Parenthood Clinic, Brookline, Massachusetts

Lyn Marshall, professora, The Atrium School, Watertown, Massachusetts

Kristin Mercer, estudante, Arlington, Massachusetts

Ted Mermin, professor, The Atrium School, Watertown, Massachusetts

Ronald James Moglia, Doutor em Educação, diretor, Programa de Graduação em Sexualidade Humana, Universidade de Nova York, Nova York, Nova York

Rory Jay Morton, professor, Shady Hill School, Cambridge, Massachusetts

Eli Newberger, Doutor em Medicina, diretor, Programa de Desenvolvimento Familiar, Children's Hospital, Boston, Massachusetts

Brenda O'Conner, professora, atendente clínica, Fitzgerald School, Cambridge, Massachusetts

Dian Olson, educador e orientador, Planned Parenthood of Massachusetts, Cambridge, Massachusetts

June E. Osborn, Doutor em Medicina, decano, Faculdade de Saúde Pública, Universidade de Michigan; presidente, Comissão Nacional de AIDS dos EUA, Washington, D.C.

Jimmy Parziale, professor, Michael Driscoll School, Brookline, Massachusetts

Kyle Pruett, Doutor em Medicina, professor clínico de Psiquiatria, Centro de Estudos da Criança da Universidade de Yale, New Haven, Connecticut

Jeffrey Pudney, Ph.D., adjunto de pesquisa, Faculdade de Medicina de Harvard, Boston, Massachusetts

Jennifer Quest-Stern, estudante, Cambridge, Massachusetts

Louise Rice, enfermeira, diretora adjunta de Educação, AIDS Action Committee of Massachusetts, Boston, Massachusetts

Sukey Rosenbaum, mãe, Nova York, Nova York

Kate Seeger, professora, Shady Hill School, Cambridge, Massachusetts

Rachel Skvirsky, Ph.D., professora adjunta de Biologia, Universidade de Massachusetts, Boston, Massachusetts

Paula Stahl, Doutor em Educação, diretor executivo, Children's Charter Trauma Clinic, Waltham, Massachusetts

Michael G. Thompson, Ph.D., psicólogo infantil, Cambridge, Massachusetts

Laurence H. Tribe, professor de Direito Constitucional, Faculdade de Direito de Harvard, Cambridge, Massachusetts

Jane Urwin, funcionária de Informação Médica, The Family Planning Association, Londres, Inglaterra

Maeve Visser Knoth, bibliotecária, Biblioteca Pública de Cambridge, Cambridge, Massachusetts

Polly Wagner, professora, The Atrium School, Watertown, Massachusetts

Lilla Waltch, escritora, Cambridge, Massachusetts

Rosalind M. Weir, mãe, Cambridge, Massachusetts

Ilyon Woo, estudante, Cambridge, Massachusetts

Donna Yee, Ph.D., consultora, Visions Inc., Cambridge, Massachusetts

Barry Zuckerman, Doutor em Medicina, professor de Pediatria, Faculdade de Medicina da Universidade de Boston, Boston, Massachusetts

Pamela Zuckerman, Doutora em Medicina, pediatra, Boston, Massachusetts

Um agradecimento especial à nossa editora Amy Ehrlich, pelo envolvimento dedicado com este livro e por sua coragem em levá-lo adiante, à nossa diretora de arte Virginia Evans, por nos ouvir e compreender nossa visão, à nossa editora adjunta Jane Snyder, por ter ficado no encalço de cada palavra e de cada pessoa, a seus colegas na Candlestick Press, por seu apoio entusiástico, às nossas editoras na Walker Books da Inglaterra, Sara Carroll e Amanda McCardie, por seu trabalho esmerado neste projeto, à nossa agente Elaine Markson, por sua amizade e crença neste livro, e ao nosso *designer* Lance Hidy, por seu olho maravilhoso.

Ai, não, acabou!

Graças a Deus, fim!

Índice Remissivo

aborto, 73-74
aborto espontâneo, 74
absorventes, 35-36
abstinência, 55, 68, 69, 72, 82
abuso sexual, 75-77
adiamento, 55, 68-69, 72
adoção, 67
adolescência, 31. *Veja também* puberdade
águas. *Veja* líquido amniótico
agulhas, 78, 81, 82
AIDS (Síndrome da Imunodeficiência Adquirida), 15, 79-80, 82-83. *Veja também* HIV; HIV-positivo; infecção por HIV
álcool, 61, 83
amasso, 54
amizade, 16, 46-47, 84
ânus, 23, 26, 78, 81
assédio sexual, 76
ato sexual. *Veja* relação sexual

banco de esperma, 67
barbear, 43
bebês, 14, 15, 24, 26, 33, 40, 41, 50-54, 58-61, 62-65, 66-67, 73, 74, 82
bexiga, 27, 39
bissexual, 18
bolsa amniótica, 60, 62

canal deferente, 27, 37, 39, 72
capuz cervical, 70, 71
célula, 52-54, 58, 60
células sexuais, 24, 26, 32, 37, 52. *Veja também* espermatozóide(s); óvulo(s)
certinho. *Veja* heterossexual
cesariana, 62, 64
chato. *Veja* piolho-das-virilhas
ciclo menstrual, 33
circuncisão, 26, 64-65
clamídia, 78
clitóris, 22-23, 48, 56
coito interrompido, 72
cólicas, 35

colo do útero, 24, 36, 58, 62, 71, 78
concepção, 33, 58, 67, 74. *Veja também* fertilização
contracepção, 69-72. *Veja também* controle de natalidade
contraceptivo(s), 69-71. *Veja também* controle de natalidade
controle de natalidade, 57, 69-72. *Veja também* contracepção; contraceptivo
cordão umbilical, 61, 64
corpo, feminino, 20-21, 22-24, 32-36, 41, 43-44, 45-46
corpo, masculino, 20-21, 25-27, 37-40, 42, 43-44, 45-46
creme(s), 69-70. *Veja também* espermicida
cromossomo(s), 53, 54

Depo-Provera, 70-71
desejo sexual, 12-13, 15, 16
diafragma, 70, 71
discriminação, 83
DIU (dispositivo intra-uterino), 70, 71
DNA (ácido desoxirribonucléico), 53
doenças sexualmente transmissíveis (DST, doenças venéreas), 77-83
doenças venéreas. *Veja* doenças sexualmente transmissíveis
drogas, 61, 78, 81, 83

ejaculação, 27, 37, 39-40, 42, 49, 56, 57, 58, 69, 72
embrião, 58, 60, 73, 74
epidídimo, 27, 37, 39
ereção, 26, 37, 39-40, 56
erupções (espinhas), 43-44
escroto, 25, 26, 27, 37, 42. *Veja também* testículos
espermatozóide(s), 26, 27, 32, 33, 37-40, 42, 51, 52-54, 57, 58, 66-67, 69, 71, 72
espermicida, 69-70, 71
esponja(s) contraceptiva(s), 69, 70
espuma, 69, 70. *Veja também* espermicida

estrógeno, 32. *Veja também* hormônios sexuais femininos
estupro, 71, 73
exercício, 35, 44, 54, 61, 83

famílias, 50-52, 67
fecundação, 33, 37, 53, 54, 58, 66, 67, 71. *Veja também* concepção
fecundação *in vitro*, 66
feto, 24, 58-61, 65, 73, 74

gamação, 13, 17
gay, 16-18. *Veja também* homossexual; lésbica
gel, 69-70. *Veja também* espermicida
gêmeos, 53, 54
gêmeos fraternos, 53
gêmeos idênticos, 53
gene(s), 52-54
gênero, 10-11, 15, 53-54
gíria (palavrões), 28
glande, 25
gonorréia, 78
gravidez, 15, 33, 35, 40, 41, 42, 57, 58-61, 66-67, 68, 69, 71, 72, 73-74, 81-82

hepatite B, 69, 78
herpes genital, 78
herpes, 78
heterossexual (certinho), 16-18
hímen, 23
HIV (Vírus da Imunodeficiência Adquirida), 15, 79-83. *Veja também* AIDS; HIV-positivo; infecção por HIV
HIV-positivo, 80, 82-83. *Veja também* AIDS; HIV; infecção por HIV
homossexual, 16-18. *Veja também* gay; lésbica
hormônios, 31, 42, 70, 71. *Veja também* hormônios sexuais
hormônios sexuais, 32, 33, 35, 37, 41, 47, 48. *Veja também* hormônios
hormônios sexuais femininos, 32, 33, 35

hormônios sexuais masculinos, 32, 37
humor, 32, 47

incubadora, 65
infecção por HIV, 15, 69, 79-83. *Veja também* AIDS; HIV; HIV-positivo
infecção, 15, 57, 61, 64, 68, 69, 70, 71, 77-83
inseminação artificial, 66-67

lábios vulvares, 22
laringe, 42
lésbica, 16, 17. *Veja também* gay; homossexual
líquido amniótico, 60, 62
lubrificante(s), 81, 82

mamilos, 41, 42
matriz. *Veja* útero.
masturbação, 48-49
menopausa, 35
menstruação (regras), 24, 33, 35-36, 41, 51, 57

nascimento, 24, 26, 41, 62-65
Norplant, 70-71

obstetriz, 62
odor do corpo, 43
órgãos genitais, 12, 78, 81
órgãos reprodutores, 11, 12, 14. *Veja também* órgãos sexuais
órgãos sexuais, 11-12, 31, 48. *Veja também* órgãos reprodutores
órgãos sexuais femininos, 22-24, 32
órgãos sexuais masculinos, 25-27, 32
orgasmo, 39, 49, 56, 57
osso púbico, 43
ovários, 12, 24, 32-33, 35, 41, 53, 66, 70, 71, 72
ovulação, 33
óvulo(s), 24, 32-35, 37, 40, 41, 42, 52-54, 57, 58, 66, 70, 71, 72

palavrões. *Veja* gíria
paquera, 13, 46
parto com fórceps, 62
parto sentado, 62
parto(s) múltiplo(s), 53. *Veja também* gêmeos

parto vaginal, 62. *Veja também* nascimento
pele, 41, 42, 44, 53
pêlos do corpo 41, 42, 43, 44, 45, 53
pêlos faciais, 42, 43
pêlos púbicos, 41, 42, 43
pênis, 12, 14, 24, 25-26, 27, 37-40, 42, 43, 44, 45, 48, 56, 64-65, 69, 72, 81
pílula anticoncepcional (a pílula), 70
pílula anticoncepcional de emergência, 71-72
piolho-das-virilhas, 78
placenta, 60-61, 62-64
planejamento familiar natural (tabela), 72
polução noturna (sonho molhado), 40, 42
prematuro, 65
prepúcio, 26, 27, 64-65
preservativo(s), 57, 69, 70, 78-79, 81, 82
preservativo(s) de poliuretano. *Veja* preservativo(s)
preservativos de látex. *Veja* preservativo(s)
progesterona, 32, 33. *Veja também* hormônios sexuais femininos
próstata, 27, 37, 39. *Veja também* sêmen
protetor atlético, 44
puberdade feminina, 24, 31, 32-36, 41, 43
puberdade masculina, 26, 27, 31, 37-40, 42, 43
puberdade, 24, 26, 27, 30-49, 83-84

quadris, 41

receita médica, 44, 61, 70, 72
regras. *Veja* menstruação
relação sexual, 14-15, 23, 24, 33, 39, 40, 42, 49, 54-57, 58, 68-72, 73, 77, 78, 82
religião, 26, 32, 43, 48, 64-65
reprodução sexual, 11-12. *Veja também* gravidez
respeito, 55-56, 75, 84
responsabilidade, 15, 51-52, 55, 73, 83

sangue, 24, 33, 39, 40, 61, 80, 81
sarna, 78
secundinas, 64

seios, 41, 44, 45, 64, 82
sêmen, 27, 37, 39-40, 56, 69, 72, 81
sensações, 12-13, 15, 28, 32, 36, 45-47, 64, 73
sexo seguro, 57, 69, 79, 82. *Veja também* abstinência; preservativo(s); adiamento
sexo, 9, 10-15, 28, 53-54, 81. *Veja também* gênero; desejo sexual; relação sexual; reprodução sexual
sexualidade, 15
sífilis, 78
Síndrome da Imunodeficiência Adquirida. *Veja* AIDS; HIV
sonho molhado. *Veja* polução noturna
sunga, 44
sutiã, 44

tabela. *Veja* planejamento familiar natural
tampão, 35-36
testículos, 12, 25, 26, 27, 32, 37, 42, 44
testosterona, 37. *Veja também* hormônios; hormônios sexuais masculinos
trabalho de parto, 62
trigêmeos, 53
trompas de Falópio, 24, 33, 58, 66, 71, 72

umbigo, 61, 64
uretra, 22, 23, 27, 37, 39
urina, 23, 25, 27, 39
útero (matriz), 23, 24, 33, 35, 36, 41, 58-61, 62, 64, 65, 66, 71, 72, 73, 74

vagina, 12, 22, 23, 24, 33, 35-36, 39, 41, 49, 56, 57, 58, 62, 66, 69, 70, 71, 72, 81
vasectomia, 72
verrugas genitais, 78
vesículas seminais, 27, 37, 39. *Veja também* sêmen
voz, falhas, 42
vulva, 22, 41, 43, 49

X e Y, cromossomos, 54

zigoto, 58-60